BEYOND THE VALLEY

シリコンバレーを越えて

上

ラメシュ・ス

大屋雄裕=監訳　田村 豪=訳

次世代の革新家がめざす
デジタル新技術と平等社会

NEWTON PRESS

Japanese translation published by arrangement with Ramesh Srinivasan ℅
The Science Factory Limited through The English Agency (Japan) Ltd

シリコンバレーを越えて

上

謝辞

この本は最初の草稿では700ページ以上あった。このような本がひとりでに書かれるということはあり得ず，『シリコンバレーを越えて』の完成にはインスピレーションを与えてくれる友人，家族，同僚が必要だった。そして，以下の一人ひとりに深い感謝を述べておきたい。

私の素晴らしい両親（スリニヴァサン夫妻），兄のマヘシュと彼のパートナーのアマンダ，そして私の人生の中心であり，最も深い心のよりどころである，愛するシャマに感謝する。また，プロセスのすべてを支えてくれた私の大学（UCLA＝カリフォルニア大学ロサンゼルス校）と世界中の同僚たちにも，心から感謝申し上げたい。

MIT（マサチューセッツ工科大学）出版局と一緒に仕事ができるのは喜びだった。いつも前向きで，支えとなってくれ，素晴らしい編集者であるギタ・マナクタラに特別に感謝したい。ギタ，あなたの心のこもった前向きなアプローチのおかげで，この本が世のなかに対して真の貢献をすることができるものとなった。

サイエンス・ファクトリーの心強く，賢く，業務に精通したエージェント，ジェフ・シュリーブ(とピーター・タラック)には，このプロジェクトの素晴らしいパートナーであってくれたことに感謝したい。ジェフ，私とともに最初からこの野心的な本を信じてくれたこと，提案書に注目してくれたこと，そしてこの本を世界に届けるサポートをしてくれたことに感謝している。この本のテーマを考えると，世界で読んでもらうことが必要であり，その価値がある。また，ダグ(ダグラス)・ラシュコフには，指導と力強い序文に感謝する。そして，この本が幅広い読者に届くようにしてくれたキャシー・オニールの支援にも感謝したい。

私は，素晴らしい支援チームの協力のもとで調査を行い，『シリコンバレーを越えて』の基礎となる議論を提示した。チ・トゥロンには，素晴らしい頭脳と編集センスで草稿や編集を手伝ってくれ，仕事がしやすく効率的になったことに感謝している。レネ・バーミューデス，あなたの姿勢，創造性，意識，そして素晴らしい文章力のおかげで，この本を完成させることができた。フィリップ・スマートには，アフリカおよびその後のテキストでのサポートに感謝したい。シェーン・ボリス，サラ・ガビッシュ，ジル・ジャルディーノ，本書を読んでコメントしてくれたあなたたちの寛大さに感謝したい。また，素晴らしい編集者であるメアリー・バッグにも，あなたのサポートと優れた編集のすべてに感謝したい。

そして，このプロジェクトがばらばらにならないように日々支えてくれた本当の力がある。年齢をはるかに超えて実力を発揮したUCLAの学部生であり，私がこれまでに出会ったなかで最も素晴らしい学生の一人であるレイア・イェンには，本書の議論を調査するのを手伝ってくれたこと，そして本書が最終段階に達したときにそれらを洗練された形にまとめてくれたことに感謝したい。ジャスミン・ファン，インタビューから洞察を得るために非の打ちどころのない仕事をしてくれて，そして何千マイルも離れた場所に住んでいるにもかかわらず，このプロジェクトに参加してくれて，本当にありがとう。ヴァネッサ・ウォン，インタビューやその他の重要な書籍のサポートに心から感謝している。マイケル・ランプキンとローイ・ライヒャートの本書の初期段階でのサポートに感謝する。

また，第17章「ネットワークのパワーをローカルに保つ」(下巻)を共同で執筆してくれたアディティ・メータにも感謝する。あなたのおかげで示唆に富む成果をこの本に加えることができた。アダム・リース，第23章「ブロックチェーン クレージーな飛び入り歓迎,もしかしたらそれ以上？」(下巻)へのきめ細かで，入念で，休むことのないアプローチに感謝したい。これは真の貢献であり，この空間についての分析的で，思慮深く，そして重要な評価だった。ブロックチェーンコミュニティとのつながりに関しては，紹介してくれたアンソニー・ドノフリオと，サポートしてくれた親愛なる友人ビカシュ・シンに感謝したい。

『シリコンバレーを越えて』に登場する人々，場所，プロジェクトは，人間の創造性の力と，より平等なデジタル世界への夢を語っている。その世界は，独立した人間としての私たちの価値観と権利，そして私たちの所属する共同体を尊重してくれる。私はあなたたちの物語をすべて共有しただけだ。あなたたちが道を開くのだ。皆さん一人ひとりに感謝する。

序文

デジタルテクノロジーは現代の主要なテーマだ。

それは，多くの記事，パネルディスカッション，講演，書籍における話題にとどまらない。テクノロジーは私たちの社会において，関心の的や方向性そのものとして存在している。しかし，私たちの全体的状況を理解しようとしてデバイス，プラットフォーム，ネットワークに目を向ければ向けるほど，自分たちが生きている現実の世界から離れていくことになる。

私たちはテクノロジーを問題の主体として見て，人間社会，つまり人間自身を働きかけられる客体として見る傾向がある。理由の一つに，私たちがテクノロジーを利用するのではなく，テクノロジーが私たちを利用するようになったからだ，ということがある。私たちのスマートフォンは，指をスワイプするたびに私たちのことをもっと知るようになり，私たちはスマートフォンについてもっと愚かになっていく。

実際，私たちが画面に流れるコンテンツによってテクノロジーを理解しようとする限り，文化的，経済的，そして地球的環境に及ぼすテクノロジーの実際の影響については何も知らないままだろう。私たちは，人々の注意を散漫にし，ばらばらにし，無力化するようにプログラムされたメディア環境との間のフィードバックのループの一部になっているに過ぎないのだ。

ラメシュ・スリニヴァサンはこのサイクルを断ち切る。彼はシリコンバレーのテクノロジー開発の真のエートス（精神）を理解している。「お金を稼ぐなかで生まれるすべての害から自分自身を隔離するのに十分なお金を稼ぐ」。それは，イギリスの東インド会社の時代以来，企業を導いてきたのと同じルールブックからの一節だ。

ゲームの目的は，必要なすべての手段を使って可能な限り多くの価値を引き出し，その影響をどこかよその人や場所に外部化することである。デジタルテクノロジーのプラットフォームは，清潔さと密閉された純粋さという幻想によって，産業化の時代に栄えた従来の企業よりも外部化をうまく隠している。しかし，もたらされる人間の奴隷化，環境破壊，社会的疎外，経済的抑圧，そして市民の崩壊は，現実のものだ。さらに，それらは今，より大きな規模で起こっている。

テクノロジーの独占企業の場は，内向きになっているため，労働者の関心は規則に集中し，影響にはない（ウェブページの評価基準を超えたところに目を向けていない企業が，どうやって「邪悪になるな」という信条を貫くことができるのだろうか？）。同様に，デジタル時代のパワーダイナミクスを評価する際に，企業自体の分析や，企業がプラットフォームに組み込んでいるアフォーダンス*，あるいは監視サービスや事業計画の構造的な批判に頼ってしまうと，より大局的で，より適切な理解を得られない危険性がある。

私たちは，見ようとしているテクノロジーそのもののレンズを通してテクノロジーを理解しようとしてしまう。そしてその過程で，テクノロジーを物語の中心に据え，私たち自身，つまり人間を背景に追いやってしまうのである。まさに外部化だ。

だからこそ，スリニヴァサンのような厳密さと洞察力をもつ学者が実際に世界中を旅して，アルゴリズムの選挙民に与える影響，自動車配車アプリのアフリカ都市への影響，メキシコの先住民がスマートフォンから受ける影響，ブロックチェーンの環境への影響などを直接目の当たりにしたことは，非常に重要なことなのだ。

彼はシリコンバレーとそのユーザーインターフェースから飛び出して冒険するなかで，はびこっているのに過小報告され，積極的にカムフラージュされている荒廃を発見した。デジタルテクノロジー企業は，生活や生計を破壊し，子供たちを奴隷にし，民主主義をむしばみ，経済を破滅させ，環境を脅かしている。

しかし，彼はまた反撃も見出した。テクノロジーが意図した機能を破壊し，自らやコミュニティに力を与えようとしている人々がいる。メキシコのオアハカでは，活動家たちが先住民の連帯と自治を促進するコミュニティ所有のデジタルネットワークを構築した。サハラ以南のアフリカでは，人々や中小企業がネットワークの力を競争のためではなく，協力して価値を交換するために活用している。先住民を植民地化し，吸収しようとするテクノロジー企業の搾取的な意図を覆すことで，これらの人々や場所は，グローバルな企業資本主義の支配に対抗する革命を起こしている。

テクノロジーや特権，あるいは西洋的な偏見によって孤立している私たちは，このような努力から学ぶ義務がある。もし私たちがこれらの同じアプローチをモデルにすれば，自らの集団的な主体性を復活させ，文明規模の大惨事を回避できる可能性がある。

ラメシュ・スリニヴァサンは，地に足の着いたところから報告すること

*見れば操作方法がわかるような状態。

で，デジタル支配の世界では，私たちは皆先住民であることを思い出させてくれる。

　そのように行動するときが来たのだ。

ダグラス・ラシュコフ

ニューヨークにて，2019年2月

序章

アルゼンチン出身の友人セルジオが先日，世界一周の旅を終えた。彼とは昨年メキシコ南部で出会った。私はここを2016年から定期的に訪問して，独自のデジタルネットワークを構築した先住民のコミュニティから学ぶことにしている。私がこの地を訪れたのは，インターネットとデジタルテクノロジーの急速な発展に20年以上もの間，強い関心をもってきた経験からインスピレーションを受けたからだった。最初は技術者として，のちには教育者・研究者として，私はデジタルテクノロジーが多様な文化や社会にどのような影響を与えるのかを探ってきた。

セルジオは，それまで自国以外の国を広範囲に旅行したことがなかった。オアハカの路上の屋台で出会ったとき，彼は五つの大陸を訪れ，大工や農業，ホテルやレストランのサービス業など，さまざまな仕事をしてきたこの1年の経験に興奮していた。ブエノスアイレスの労働者階級の家庭で育った彼に，違う世界でどのような幅広い経験をしたかを聞いてみると，無造作な言葉が返ってきて，何も言えなくなった。「どこにいっても，人々はインターネットに押し込められる。それが人々の求めていることだ」。

別れたあとも，セルジオの言葉は私の心に残っていた。その言葉のもつ，対照的でありながらも絡み合っているイメージに衝撃を受けた。第一に，画面の向こうに存在する別世界に押し込められた人々のイメージ。第二に，インターネットという共通の場所とつながる人々のイメージ。私たちの多くと同様に，セルジオはユーザーとしての視点をもち，ウェブサイト，モバイルアプリ，VRヘッドセット，その他無数のデジタルデバイスが登場し，私たちの生活のなかに入り込んでくるという典型的な「押しつけ」を恐れると同時に，混乱させられていた。

私がこの本を書いたのは，可能性を秘めた開かれたオンラインの世界をまったく別のものにしてしまった変化に，私たち何十億人ものインターネットユーザーがどのように対応できるのかを探るためだ。デジタルな風景のなかでは壁に囲まれた庭園や，決められた道がすでにプログラムされており，私たちには視界をコントロールする余地もほとんどない。私たちの生活をこれらのデバイスやシステムに委ねるのであれば，少なくとも，それらがどのように設計され，どのように利益を得るかについて，決める力をもつべきではないだろうか？　テクノロジーは，使用や中毒ではなく，創造や応用において，人間中心のものであるべきではないだろうか？

インターネットや携帯電話へのアクセスが世界中で拡大するにつれ，アメリカ西海岸（シリコンバレーやカリフォルニア）や中国にある数少ないテクノロジー企業の力と富も増大している。これらの企業が何十億人ものユーザーに価値を提供していることに疑いの余地はなく，私たちが情報を見つけて発信したり，テレワークをしたり，お互いに交流したり，商品を売買したりするための効率的で低コストな方法を提供してくれている。私たちの多くは，アマゾンの安い価格と，購入した商品がすぐに玄関先に届くことに魅力を感じる。また，監視カメラや，スマートフォンを使っている人のGPS追跡，テロリストを逮捕するための共有データの利用などには大きな価値がある，と考えている人もいる。しかし同時に，その過程でプライバシーに対する個人の権利を放棄し，社会的立場が弱い人々を危険にさらし，小規模な企業や店舗の存続を脅かし，経済的不平等と政治的分断の拡大に貢献していることを私たちは認識できていないかもしれない。

19世紀のアメリカ西部地方さながら，未開拓の世界だったインターネットを飼い慣らしていくなかで，大手ハイテク企業はユーザーに有益なツールやサービスの活気ある市場を提供し，経営者や株主に想像を絶する富をもたらしてきた。しかしその過程で，彼らは開かれた民主的なインターネットに取って代わり，私有された構築物の広大なネットワークをつくり出した。デジタルにつくられた柵，高速道路，一般道，橋，壁といったものを想像してみてほしい。これらによるネットワークの唯一の目標は，人々のデジタル空間での行動をコントロールし，企業の決算に有益になるようにすることだ。開かれたインターネットという考えにとらわれていると，現実が見えなくなる。デジタル世界は，静的で頑丈で，柔軟性に欠けるデジタルアーキテクチャによって構造化されている。そして，見えない境界線のように，それらは特定の道を通るよう強制しているのである。

もちろん，私たちは，世界を広げてくれる電話やウェブサイトが，使用していないときでも私たちを追跡し続け，個人データがマネタイズの対象になりやすいことをだんだん認識するようになっている。私たちはまた，インターネット上でプロパガンダ，フェイクニュース，ヘイトスピーチが増幅され，急速に広がるということを経験してきた。悲劇的な結果がもたらされることも多い。私たちは真実，文脈，多様な視点というものから目をそらされている。一方で，ジャーナリスト，活動家，学者，そしてより多くの一般の人々は，ネット上の私たちの完全な多様性を反映する人々でなく，中国，西洋，白人男性の利益がインターネットを支配するコンテンツやシステムを独占していることに懸念を示す。最後に，世界中の深刻な経済的不平等を背景に，ギグエコノミー*の拡大がいかに仕事，賃金，社会福祉給付に対する不安を増加させているかを私たちは見てきた。同時にデジタルによる業務の自動化が，現在の雇用市場の多くを消してしまおうともしている。

私は，多くの人がそうであるように，アマゾン，グーグル，アップル，マイクロソフト，フェイスブックが提供するサービスや製品から想像もつかないほどの価値を得ている。しかし，自分が得るものと交換に「何を放棄したのか」を正確に理解することなく，彼らの利用規約に同意していることも自覚している。自分の行動が後々自分自身にどのような影響があるのか考える手段を与えられていない。ましてやネットワーク内の他者についてはもっとそうだ。たとえば，アマゾンは，ほとんどのものを安価で簡単に購入できるようにしたので，私たちのほとんど全員が定期的に利用している。中国のアリババも同じだ。しかし，これらの企業どちらもが開かれた市場を独占的に支配してしまってよいのだろうか。アマゾンの顔認証技術が民間軍事会社や警察に売られたり，アメリカのドナルド・トランプ元大統領が移民税関執行局（ICE）に命令する行動を支援するために売られたりしているのはどうだろうか？　私たちはこのような契約をしてよいのだろうか。すべての強大なテクノロジー企業が関係する場合には同様の契約が多いが問題ないのだろうか。

インターネット自体が，税金で賄われた公的な研究のおかげで生まれたことを知っている人はどれくらいいるだろうか？　ではなぜ，シリコンバレーに関連する何兆ドルもの金は公共投資の戦利品であるはずなのに，超富裕層の投資家や経営者のポケットにしか入っていないのだろうか？　どういうわけか，私たちは，すべてのお金と権力を1%の仲介業者の秘密幹部たちに与えてしまったのだ。

誤解しないでほしいのだが，強力で遍在するテクノロジーによって提供される価値は紛れもないものだ。フェイスブック，グーグル，アップル，マイクロソフト，アマゾンは，私たちのほとんどがこれなしでは生きていけないと思うような，効率的で有用で素晴らしいサービスやモノを生み出してきた。そして，これらのビッグ5のハイテク企業だけが主要なプレーヤーではない。直接のインタビューによる十分な情報を得ることができなかったため，本書では中国のハイテク大手については詳しく触れていないが，彼らの存在感と影響力も，特にアジアにおいて広く浸透している。2018年，中国は世界のインターネット企業をランキングしたトップ20のうち九つを占めた。彼らのビジネスや製品にもシリコンバレーが提唱する設計やパフォーマンスの価値観が反映されている。電子商取引の分野では，アリババは利益と売上高でアマゾンとeBayの合計を上回り，世界第1位の小売企業である。アリババもまた，クラウドコンピューティングから仮想現実のショッピング体験までをユーザーに提供するなど，サービスの拡大と統合に取り組んでいる。そのうえ，中国国営新華社通信によると，中国は人工知能（AI）のニュースキャスターを登場させたという。イギリスの『ガーディアン（*The Guardian*）』紙は2018年11月，中国の視聴者の前にレギュラーキャスターの邱浩のデジタル版が現れたと報じた。彼は「私は24時間365日あなたたちとともにいられるだけではない。私は無限にコピーされることができ，同時に違う場所に存在してニュースをお届けすることもできる」と述べた。

私がこの本を書いたのは，単に批判したり警鐘を鳴らしたりするためではなく，未来の姿を提唱し，それを示すためだ。その未来は，テクノロジーの設計と展開において，私たちが愛するインターネットやオンラインサービスが，監視，所得格差，誤った情報，極端な不均衡などのコストを伴

---

*インターネットを通じて単発の仕事を請け負う働き方や，経済形態。

わないものであるべきだ。可能性は広大であり，すでに進行中のさまざまな戦略や取り組みから多くのことを学ぶことができる。テクノロジーの力を世界の公益のために働かせるためには，現在の仕組みの何が危険なのかを明らかにし，前向きな変化のためのビジョンを動員しなければならない。

この課題に直面しているのは，大手ハイテク企業だけではない。実際には社会工学的に機能し問題のある結果をもたらしているにもかかわらず，彼らが中立だと主張するシステムは常によいことをしていると想定する人々もだ。たとえば，フェイセプション社の試みを考えてみよう。同社は顔の特徴や骨の構造に「ディープラーニング」を応用することで，IQや性格，暴力的な行動を予測しようとする。私たちには，黒人の顔や体形を彼らが劣っていることの証拠だと考えるような恐ろしい過ちを犯した歴史がある。にもかかわらず，私たちは「ディープラーニング」のおかげで人種差別の継続を正当化しようとしているのだろうか？

本書『シリコンバレーを越えて』では，効率性と公平性，民主主義，多様性の価値とのバランスをとったテクノロジーの例を世界各地から紹介している。人道的で均衡のとれた明日のインターネットへの道を指し示す「世界の革新者たち」の話を紹介する。狭く理解された効率性が主眼となってしまうことで，皮肉にも非効率性が生み出されるという危険性について説明する。消費者向けプラットフォームにおける効率性が，私たちのセキュリティとプライバシーの感覚を乱し，民主主義を阻害し，経済的な不平等を助長した結果，私たちの生活のすべてを非効率なものにしてしまう可能性がある。効率的な産業は，気候変動という非効率（と巨大な脅威）を生み出す可能性がある。そして同様に，効率性をやみくもに受け入れることで，弱者に悲劇的な隠れたコストをもたらす可能性がある。緊急時に上書きできないAIを搭載した安全機能への依存が，2018年と2019年に致命的な飛行機墜落事故を引き起こしたときのように。

これらの課題に対処するために，私は起業家が生み出す社会的使命をもつテクノロジーの事例，ユーザーがリソースとアイデアを共有して草の根の政治家や倫理的な主張を支援する事例，そしてコミュニティが集まってデジタルプラットフォームを所有するという事例を紹介している。これらの事例ではいずれも，民間のテクノロジー企業ではなく，人々が共通の価値観や信念体系に基づいて独自のネットワークやサービスを設計している。これら小さなスケールで，環境問題に意識的でユーザーにコントロールされた，そしてしばしば分散的な努力こそ，時に「適切な」とか「人間中心の」技術と表現されるものの例なのだ。また，プライバシー保護システム，普遍的なベーシックインカム（基本所得保障），勤務先が変わっても引き継げるポータブルな社会福祉給付，組合の組織化，デジタル協同組合，労働者評議会などのように，あまり広くは確立されていないが，イノベーションの最先端をいく例も紹介する。

これらはすべて新しいアイデアではなく，私たちの周りにすでに存在するものであり，それらに注目することで何が得られるのかを見極めるときが来ている。しかし，私たちはもっと多くのことを実現することも不可能ではない。まず，政府や大規模なハイテク企業に対して，説明責任を果たし，ユーザーとコミュニケーションをとるように要求することから始めよう。また，自分たちがつくるシステムの社会的，政治的，経済的影響を分析する訓練を受けていないエンジニアと協力して，より思慮深く包括的な設計プロセスを開発することもできる。私たちの目の前にはさまざまな建設的な方向性があり，つながった世界をより公正で，より市民の意見を反映し,より多様で民主的なものにするのに必要な変革を推進できるはずだ。

この未来を追求することは，約束されていたがまだ手にしていないインターネット，私たち全員がつながる「地球村」としてのインターネット，平等を擁護し創造するインターネット，すべての参加者が恩恵を受けるインターネットを追求することでもある。以降のページでは，過去と未来，世界各地，そして私たちの文化的，政治的，経済的な生活に目を向ける。そして，多様性，民主主義，そして私たちの集合的な福利と個人的な福利が深く関連しているという信念を支えるデジタルの未来を示していく。

第 1 部

侵入戦術

追跡され，乗っ取られ，引っ掛けられる

第1章　データの力

2017年11月，私のアップル・MacBook Proが盗まれた。友人のドキュメンタリー映画製作者を訪ねていたイビサ島でのことだった。私たちは，世界中の新しいテクノロジーの革新的な使われ方を紹介するために，短編映画のシリーズをつくろうと考えていた。

私たちは一緒に座って，すでに目撃した技術革新，破壊，創造の例を挙げていた。監視，ギグエコノミーと仕事の未来，人工知能（AI），暗号資産（仮想通貨）など，本書で私が探求しているテーマについて議論した。グーグルのクラウドベースのストレージプラットフォームであるグーグルドライブにアイデアをアップロードしたあと，少し休憩をとり，レンタカーのトランクにノートパソコンをしまった。戻ってくると，2台のノートパソコンはなくなっていた。

動揺しながらも，私はほっとしていた。ほとんどすべてのデータはクラウド上にあるので，データの大部分は回復することができるだろう。それこそが，私がファイルを保存するときにグーグルと（アップル，マイクロソフト，ドロップボックスとも同様に）契約した内容だったからだ。しかし，私はそのなかで，彼らにデータから利益を得ることを許してしまっている。私が同意した「利用規約」を考えれば，ストレージ会社にとっての私のデータの価値は泥棒にとっての私のノートパソコンの価値よりもはるかに大きいと気づいた。

クラウドストレージを提供する企業が，私たちのデータから収益を得る方法をもっていることを，どれだけの人が十分に認識しているだろうか。私たちが「セキュリティ」と無料サービスが提供する安心に夢中になると，企業はたとえばターゲティング広告を使用し，料金を請求する。私たちは，これらの会社が安全にファイルを保存してくれると信頼している。しかし，もし政府が私たちのデータを調べるように求めた場合，個人情報はもはや秘密のままではなくなるかもしれない。これらのデータはすべて監視され，計算されており，（多くの場合）企業にとって都合のよいように私たちの行動に影響を与え，形づくるために怪しげな方法で操作されているので，その意味でも秘密ではない。これらの企業にアカウントを作成することで，自分自身へのアクセス権を与えているのだ。だから，私たちが個人情報保護方針に同意するとき，実際には，人類の歴史にはなかった監視システムに参加するよう署名していることになる。そこに主体的に参加したわけでもなく，相談されることもなくそうしているのだ。データへのアクセスと回復を容易にするのを望むことで，私たちは企業のサービスを使用することのなかに自分自身を閉じ込めているのだ。

イビサでファイルを回復しようと考えているうちに，疑問に思ったことがある。自分の所有物にアクセスするのにそのような代償が必要なのだろうか？

アップルとの関係では，私はその代償が排除不能であることを発見した。アップルのノートパソコンを購入したことで，私は知らず知らずのうちに顧客から，アップルの製品ラインの一部になっていたのだ。私はアップルに個人的なデータを提供し，アップルがそれを保護してくれると信頼していた。今，そのデータを取り戻すためには，アップルの提供する新しいノートパソコンや周辺機器やデバイスを購入しなければならなかった。

そこで，私はすぐに飛行機でマドリードに向かった。電車に乗ってプエルタ・デル・ソルにあるアップルストアに行った（図1.1）。この中央広場は，数百年前からスペイン全土のランドマークとして，また人が集まる場所としての役割を果たしており，多くの道路が集まっている。

その独特の美学と都市空間内の戦略的な配置により，アップルストアは議会や政府のビルの近くに堂々と存在した。まるで世界的なブランドがスペインそのものよりも強力であるかのようだった。私が行った日は，アップルストアに出入りする人は周囲のどのビルに入る人の数より多かった。

2017年，時価総額1兆ドル超の民間企業であるアップルは，小売店を「街の広場」というコンセプトで展開し，日常生活に欠かせない存在としてブランディングし始めた。ほかのハイテク企業も自らを同じように表現している。フェイスブックのCEOであり創業者であるマーク・ザッカーバ

図1.1　多くの人が訪れるマドリードのアップルストア（写真：GumCam）

ーグは，同社を「グローバル・コミュニティ」のための「社会インフラ」と表現している。つまり，デジタルの世界にあるのは，企業に私有された公共圏なのだ。これらの企業は公共的，市民的，高潔とブランド化されているが，実際には収益性と経済的価値の拡大という単一の論理に支配されている。

これらの企業の利益が「公共」の利益と同じになるわけがない。ほかの多くの大企業と同様に，アップルは株主が所有している。したがって従業員，顧客，一般の人々に対してではなく，主に投資家や役員に対して説明責任がある。これが意味することのすべてを私が理解できたのは，プエルタ・デル・ソルのアップルストアがアイコンとして，また建造物として，実際にどれほど記念碑的な存在であるかに気づいたからだった。

その店に入っていくと，アップルの従業員のいう通りに新しいマシンを購入し，iCloudアカウントにログインして，盗まれたノートパソコンから「失った」データをアップルのクラウドから回復した。

これらの作業は，1時間以内に完了し，シンプルで効率的だった。私のデータは「国家の領域を超えたもの」で，スペインでも簡単に取り戻すことができた。ほかのほとんどの国でも同じだろう。新しいノートパソコンを購入してデータを回復することは，アップルの経済モデルを支えている。国境が脅威や障害になるようなことはない。ほかのグーグルやドロップボックスが管理するクラウドサーバーからデータを取り戻すときも同じだった。

誰が商品か？

テクノロジーの業界では，この格言がよく使われている。「あなたが顧客でなければ，あなたは商品である」。

今日のテクノロジーの多くは，無料だ。しかし，その代償として，私たちの個人的な生活はこれらのテクノロジーに「無料で」提供されている。それらは企業が利益を得るためにアクセス可能となる。そう，私たちがグーグルで検索するとき，私たちは情報を探しているが，同時にグーグルも私たちを検索していることに気づいているだろうか？　ユーザーはほかのユーザーのために価値を創造し，テクノロジーを所有する企業のために価値を創造する。テクノロジーのユーザーである私たちは，別の意味での商品になってしまったのだ。私たちに「無料」プラットフォームやサービスを提供する企業は，私たちのデータを利用し，私たちの注目を集めることでお金を稼ぐ方法を考え出した。時間がかかったが，企業がそれを成し遂げたこと，特にどのように成し遂げたかが重要な問題となるのだ。

キャシー・オニールは，2016年の著書『あなたを支配し，社会を破壊する，AI・ビッグデータの罠』（邦訳：2018年インターシフト）のなかで，私たちが使用するほとんどのオンラインシステムで重要な要素となっているアルゴリズムは，あらゆる領域や作業に繰り返し適用される数学的表現（またはモデル）に過ぎないと説明する。そのようなアルゴリズムは，一般市民である私たち全員の生活に影響を与えているにもかかわらず，民間企業が秘密裏に作成していることがよくある。オニールによれば，アルゴリズムは「コードのなかに埋め込まれた意見であって，……客観的，真実，科学的なもの（ではない）」。それはマーケティングのトリックだと彼女は主張する。「アルゴリズムであなたを威嚇しようとしている。あなたが数学を信頼し，恐れていることを利用して，アルゴリズムを信頼させ，恐れさせようとしているのだ」。

偽装されたアルゴリズムの力は，哲学者のジュディス・バトラーの言う「アイデンティティの差押え」，つまり人を定義づけてほかのあり方の可能性を排除しようとすることにつながる。なぜこのようなことが起きるのだろうか。私たちの個人データの収集は，私たちが自発的に提供するかどうかにかかわらず，あらゆる瞬間と場所で発生する。それは，フェイスブックやYouTubeを利用する時間だけに限られているわけではない。あらゆる種類の企業が，クレジットカードの購入履歴，裁判所の記録，携帯電話の使用履歴，病歴などを集計して，私たちがどのような人間で何をしているのかのモデルを作成している。漏れ伝わった個人情報は，私たちが見ることは決してないが，私たちの行動を予測し，影響を与え，形づくるために使用されている。

ここで危険にさらされているのは，市民としての私たちの自律。自分の個人情報が，私たちが見るコンテンツ，広告，おすすめの商品を決定するとき，私たちはどのような選択肢や決断の機会を失ったのだろうか？　危機にあるのは，時間をかけて変化する能力，実験し，成長し，既存のカテゴリーに区分されない「自分自身」になる能力，さらにいえば何かを忘れてしまう能力だ。

アルゴリズムやプラットフォームは，未来の可能性ではなく，過去の行動を通して私たちを「理解」する。それらの使う道具や対象物は，創造性や想像力，深い感情ではなく，計算や並べ替え，効率化だ。注意していなければ，私たちはこのような存在の様式に取り込まれてしまい，コンピュータが描いたものとは単に異なる方向に考えたり，さまよったり，探索したりすることで成長するのが不可能になってしまうかもしれない。どこにでも携帯電話をもち歩くようになって提供するデータが増えれば増えるほど，私たちがどのように行動し，どのような人間になるかについてのさらなる介入が可能になる。

ブログを書き，コメントをし，投稿することで，私たちは政治哲学者のジョディ・ディーンがいう快楽，生産，監視の「循環」を実践している。私たちがオンラインになるとき，同様のユーザー数十億人とつながり，自由に自己表現しているかのように感じるだろう。しかし，表現という見世物の背後では，データが捕捉され，注目が収益化され，監視に正当性が与えられている。産業革命が労働の不平等を生み出したように，データの収集が今日のデジタル資本主義をあと押しする。ディーンは，一般的なデジタル体験についての彼女の説明で，次のように要約している。「より多くの循環，より多くのループ，より多くの戦利品を，最初の，最強の，最も富んだ，最速の，最大の者に」。

その結果，圧倒的な量の情報が，検索やソーシャルメディア，さらにはGPSのようなサービスによってノイズを整理することを求めるようになった。しかし，私たちが圧倒されていると感じないようにするために，アルゴリズムは，何を採用して何を除外し，フィードや検索結果のリストの一番上に何を表示して何を隠すかを決定する。そうすることで，何を見て誰とコミュニケーションをとるべきかを，見えないように裏で教えるのだ。アルゴリズムは私たちの政治的，文化的，世界的な現実を理解する方法を教える。アルゴリズムは私たちの考え方を定義し，私たちが自分自身をどのように見るかを変えてしまった。企業が私有するウェブプラットフォームは，「開かれた」インターネットをのぞこうとする私たちの目をフィルタリングし，ゆがめる。このようにしてインターネットは，私たちのデータと注目を捕らえて監視する私有化された空間の集合体になってしまったのだ。実際，今日のデータは，専門家の間では「デジタル経済の石油」と理解されている。それは，収集され，削られ，集約され，収穫され，投機されるものである。

これはどのような重要なステップによって実現したのだろうか？　最初に，私たちは過去に例を見ない規模で観察・監視されることを許した。洗練された監視カメラのネットワークでさえ，私たちのポケットに入っている電話にはかなわない。たとえばグーグルは，ホームページを閲覧しているときだけでなく，ほかの多くの方法で，私たちがオフラインのときにも私たちを監視することができる。それをどのように実現しているかをグーグルは一般的にははっきり示さないし，データを使って何をするかになると，もっと語ろうとしない。そして，これはグーグルだけの話ではない。最大手のソーシャルメディア，検索，Ｅコマース企業ならどれも，観察と監視をあらゆる場所に存在させている。私たちは，効率的で無料のテクノロジーを得る取引の代償として，プライバシーと自律の喪失を受け入れてきたのだ。

監視と自分の価値観のバランスをどうとるかという問題に，唯一の正しい答えがあるわけではない。人間の価値観は似通っているよりも多様であることが多い。人間関係のなかで，コミュニティのなかで，あるいはある場所において，人々を結びつけている価値観があるのなら，その価値観がどのようなものであるにせよ，守る意味がある。これは，インターネットがもたらした効率性や接続性，有用性を手放すことを意味するものではまったくない。しかし，効率性と接続性の向上が社会的利益を促進するように，ハイテク企業とユーザーの関係を再構成することを意味している。

現在，数十億人の人々が，世界のごく一部分であるアメリカ西海岸や，上海，北京，香港などの大都市の企業が生み出したテクノロジーを利用している。その結果，人気のあるテクノロジーを生み出す文化は，ユーザーほどの多様性をもっていない。このため，大多数のユーザーは，地球規模の未来を形づくるテクノロジーの構築，所有，設計に参加することができない。これは，今日のハイテク産業の根底にある生産者と消費者の関係の不均衡の一例に過ぎない。

しかし，現状以外の道もあるはずだ。この本では世界各地の例を紹介し，多様な文化的価値観によってテクノロジーの創造やテクノロジーが目指す目的がどのように影響を受けるかを示す。世界のインターネットと携帯電話のユーザーの54%がもはや北半球に住んでいない現在，このことはより重要だ。このパーセンテージは，接続性とアクセスを拡大しようとする試みが進めば進むほど増加するだろう。

仮想現実（VR）分野のパイオニアであるジャロン・ラニアーは，私たちは市民として，ユーザーとして，そして人間として，直面している苦境に対して何らかの責任を負わなければならないと考えている。「解決策は，人間であることを強化することである」と，2017年の『ガーディアン（*The Guardian*）』紙の記事でラニアーは述べている。最近の著書『未来は誰のものか』のなかで，ラニアーは私たちに行動を呼びかけている。ハイテク企業「ビッグ5」が提供するテクノロジーに参加するという取引に「ノーと言う唯一の方法」は，インターネットのユーザーが「たまには消費者の役割を超越する」ことだと彼は言う。TED2018*の会議でラニアーは，デジタル時代の「人間であること」の要素について詳しく述べている。「もし人類が生き残りたいのであれば，二人の人間がコミュニケーションしようとしたときの唯一の方法が，彼らを操作したい第三者によって出資されているものであるような社会であってはならない」。

技術者の間で尊敬されている人物であり，「ウェブ2.0」という言葉を生み出したティム・オライリーは，私たちの社会には，ほかのすべてのものに優先して株主価値を最大化するというマスターアルゴリズムが存在すると述べている。オライリーは，私たちのデータ，時間，注目を譲り渡してしまうことで，強大なテクノロジー企業は，そのテクノロジーの政治的，社会的，文化的，経済的影響をほとんど無視することができるようになると示唆している。上場企業の究極の説明責任は，株主に対するものであり，それは時価総額で測られる。しかし，経済成長の負の影響を無視すること

---

*毎年行われる講演会で，世界的な知識人がスピーチをする。

が経済的成功を追求する唯一の方法なのだろうか？　ゼロサムゲームである必要はないはずだ。

私の主張は，人間のコミュニケーション，つまりつながり，つきあい，世界を形成しようとする欲求は，資源であるということだ。木材や水と同様に，私たちはそれを責任をもって使うことも，無責任に使うこともできる。私たちは，よりクリーンなエネルギーや動物の保護を求めて闘い，搾取工場での労働に反対する政治的な活動を進めてきた。私たちはこれらの勝利をすべて「進歩」として捉えてきた。ではなぜ私たちは，企業の想像力が私たちに与えた特定のバージョンのインターネットを受動的に受け入れなければならないのだろうか？　別のバージョンのインターネット，ユーザーにこれまでと同様の価値を提供しながら，搾取せず，生活を脅かさないインターネットを私たちはなぜ想像できないのだろうか。

同意の製造（マニュファクチャリング・コンセント）

1988年，言語学，認知科学から政治活動，社会批判まで幅広い分野で活躍する学者・執筆家であるノーム・チョムスキーは，『マニュファクチャリング・コンセント　マスメディアの政治経済学』（邦訳：「1」「2」ともに2007年トランスビュー）をエドワード・ハーマンと共同執筆した。マスメディアのプラットフォームは，一見真実と正義を真剣に探求しているように見えても，実際には国家や企業のためのプロパガンダ・マシンとして機能している，と著者らは論じる。彼らの主張では，メディア産業の根底にある利益モデルが，読者が何を見ているか，どのように物語が構成されるかに影響を与えている。今日，チョムスキーはこれらの主張をどう考えているのだろうか。

私が2018年3月にチョムスキーに会ったとき，彼はまだ大手メディアを「市場やほかの企業のための商品」を開発することを目的とした巨大企業だと話していた。読者や視聴者自身が商品であるとチョムスキーは言った。「それは変わっていない」。今日，『マニュファクチャリング・コンセント』が提示できる一つの教訓は，メディアシステムが人々と相互作用するときに，権力がどのように働くかということに関係している。市民が民間営利企業の顧客であると同時に商品でもあり，その企業が決算書の利益を最優先とする場合はどうなるのだろうか。このような構造の産業は，プロパガンダ，偏見，多様性や客観性の欠如を生み出す傾向をもつだろう。

2018年4月13日，チョムスキーは以下のようなツイートを投稿した。「民主主義を制限する最も効果的な方法は，意思決定を公の場から説明責任のない機関に移すことである。王公，高位聖職者，軍事政権，一党独裁，あるいは現代の企業など」。これは，チョムスキーが長い間主張してきたことと一致している。つまり，説明責任をもたない民間の機関は，民主主義にとって，ひいては政治的・経済的平等という価値観にとって，重大な脅威であるということである。

しかし，今日のオンラインのニュースコンテンツはどうだろうか。フェイスブック，グーグル，インスタグラム，YouTube，ツイッターなどは，もともとチョムスキーが言及したようなメディアの巨人ではない。しかし，これらは説明責任をもたない機関であり，30年前にチョムスキーが批判したメディアと似たようなものである。どの企業も記者を雇っておらず，彼らが発信するニュースが確かな情報源を基にしていたり，きちんと構成されていたりすることはほとんどない。それにもかかわらず，これらの企業は，チョムスキーの批判する伝統的な機関の多くから得たニュースをユーザーに提供するだけでなく，私たちが見るものに権力を行使するアルゴリズムの公式を使用している。これらの公式は一般的に私たちの既存の視点を強めるように最適化されているため，私たちの世界観を開くどころか，むしろ制限してしまう危険性があるのだ。ジャーナリストのマット・タイビも，『マニュファクチャリング・コンセント』が21世紀にも適用できるか分析している。大手メディアの報道が「狭く限定されている」とのチョムスキーの批判は，党派を超えてメディアに対する不満の高まる今日ではより強まっていると指摘する。そして，「狭く限定された人工的な現実を理解していないにもかかわらず，自分たちを進歩的だと思っている世代が存在する」と彼は言う。

私たちがオンラインで見るものは，私たちが信じるものに大きな影響を与える。このことを確認する研究では，グーグル検索の上位の結果やフェイスブックのニュースフィードの投稿など，オンライン上のコンテンツがユーザーに影響を与えることも明らかにされている。インターネット依存の神経科学に関する研究では，ネット上での活動によって中脳の腹側被蓋野でドーパミンが放出され，ドーパミンが脳の快楽中枢に伝達されることが明らかになっている。これは中毒や強迫行為を引き起こす可能性があり，インターネット企業はアルゴリズムやユーザー機能の設計を通じてそれを悪用することができる。2012年の『アトランティック（*The Atlantic*）』誌の記事が指摘するように，「ドーパミンの放出はニコチン，コカイン，ギャンブル依存症の基礎を形成している」。私たちの強迫的な行動におけるドーパミンの役割は今では一般的に知られているが，依存させるよう最適化されたインターネットプラットフォームで過ごす時間の量が，ジャンクフードやタバコと同じくらい不健康であることは，あまり明らかではないかもしれない。テクノロジーやインターネットを，知識の源やコミュニケーションの手段として中立的だと見るのは簡単だ。しかし，その見方は営利を目的とするテクノロジー企業やそのサービスに関しては，ユーザー，つまり消費者としての私たちの立場を正確に表していない。

20世紀後半のメディア産業が，読んだり視聴したりする顧客を「利益を生む商品」に変えたように，デジタルテクノロジーの消費者である私たちは，今日でもオンライン上で最も価値のある商品であり続けている。私たちのデータと注目は，伝統的な広告モデルから引き出されるのと同じ方法で利益を生み出す。チョムスキーとハーマンが30年以上前に提起した懸念は，拡大し続けている。新しいテクノロジー，マスメディアシステム，政府のシステムが連携して，ユーザーの依存を通して「同意を製造する」ために働くようになると，オンライン生活が「物事の秩序」の一部として常にある当たり前のものとされ，目に見えない一見中立的な，権力と支配のシステムを永続させることになる。

ビッグ5の力

今日，インターネットやデジタルテクノロジーの大手企業は，かつてないほどの力を誇っている。2017年の時点で，アマゾン，アップル，グーグル，マイクロソフト，フェイスブックのビッグ5の時価総額は合計3兆ドル以上で，2016～2017年に各社の株価は30～60％上昇している。これらの企業は，私たちに「開かれた」デジタル世界を体験させてくれるが，条件つきだ。そう，ツイッター，インスタグラム，フェイスブックのようなプラットフォームが，「#Me Too*[1]」，「Black Lives Matter（黒人の命は大切だ）*[2]」，「ウォール街を占拠せよ*[3]」のような運動を支援するために利用されてきた例はたくさんある。しかし，欧米のテクノロジー企業の社会における役割は，私たちがお互いにコミュニケーションをとったり，情報を検索したり，購入したり，売ったり，視聴したり，読んだりするために使っているツールやシステムを独占的にコントロールすることによっ

*[1] 性暴力の告発・抗議。　*[2] 黒人への差別・暴力反対。　*[3] 貧富の格差への抗議。

て定義されていることが多い。

このような懸念について，私は最近『反社会的メディア　フェイスブックはどのように私たちを切り離し，民主主義を弱体化させるのか』の著者であるシヴァ・ヴァイディヤナサンと議論した。「これらの企業はそれぞれ，私たちの生活のオペレーティングシステム（OS）になろうとしている」と彼は言う。「私たちはすでに，ノートパソコンのOSの地位を獲得するための戦いを見てきた。それが終わったら，もう古い話になって，次はモバイルデバイスのOS（をめぐる戦い）……また終わって，古い話になって……。今，（これらの企業は）私たちの体のOSになろうとしている」。

2016年だけでも，アマゾンにかかわるいくつかの驚くべき統計が，ヴァイディヤナサンの指摘を補強している。アマゾンはアメリカでオンラインで消費されたお金の１ドル当たり43セントを占めた。垂直統合して小売り，物流，ウェブサービス，倉庫業，その他多数の市場の掌握を進めている。アマゾンは，広大な市場を見事に容赦なく統合することで，このような優位性を獲得した。オンラインでの注目の集約はマーケットシェアに比例し，低価格，送料無料，迅速な配送，そして一見無限とも思える品ぞろえという戦略でこれを達成してきた。アマゾンの顧客基盤は非常に大きく，忠実であるため，どのブランドも，また，直接の競合他社を含むほとんどの小売業者も，競争を避けられないのだ。ブラッド・ストーンが著書『すべてを売る店（原題：*The Everything Store*）』のなかで記録しているように，アマゾンはこれらの相手に対して冷酷で報復的な扱いをしているが，相手は反撃する余裕がない。アマゾンは現在，大手企業でさえ手の届かない顧客基盤を保有している。

また，アマゾンは，クラウドコンピューティングとサーバーストレージの分野でも支配的なプレーヤーであり，最古かつ最大のクラウドインフラストラクチャを誇っている。ある推計によるとアマゾンのインフラの計算能力は，2位以下の14社の合計の10倍を超える。つまり，コンテンツをオンラインにアップロードすると，オンラインとオフラインの両方でストレージ機能をもつアマゾンのサービスとつながっていることが多いということだ。アニメ「ルーニー・テューンズ」に登場するアクメ社は，人気キャラクターのワイリー・コヨーテが考えつくあらゆる種類の製品を製造し，流通させている複合企業だ。この会社を思い浮かべれば，アマゾンがどれだけあらゆるところにその手を広げているかがわかるだろう。

2018年4月に公開されたインタビューのなかで，アマゾンのCEOであり創業者でもあるジェフ・ベゾスがニュースサイト・ビジネスインサイダーの記者に語ったところによると，1270億ドルの個人資産（当時）のごく一部（正確には10億ドル相当のアマゾン株を毎年）を市場で処分することで，営利目的の宇宙企業ブルー・オリジンに資金を提供していることが，「彼の最も重要な仕事だ」という。彼は率直に「これだけの資産を使うには，アマゾンで得たものを宇宙旅行に変えるくらいしかない」と認めている。

同じ月に，米上院議員のバーニー・サンダースは，CNNのニュースキャスター，ジェイク・タッパーとの会話のなかで，アマゾンが大きくなりすぎたとの懸念を表明していた。数カ月後，サンダースはツイッターで，独立した小売業は減少している一方で，アマゾンが商業のほぼすべての分野に参入していると指摘した。

フランクリン・フォアは2017年に著書『心のない世界　巨大ハイテク企業の実存的脅威（原題：*World Without Mind: The Existential Threat of Big Tech*）』を出版した。その3年前，彼は『ニュー・リパブリック（*The New Republic*）』誌の記事でアマゾンを取り上げた。「アマゾンは，グーグルやウォルマートと同様，新たな独占黄金時代の光り輝く代表である」とフォアは宣言した。これらの巨大企業は「自称『消費者の下僕』」となっており，私たちは長期的な危険性をあまり考慮することなく，その利益を享受している。アマゾンの場合，同社はすでに競合他社を脅かし，あらゆる種類の独立系企業に従属や倒産を強要している。そして，この活動とは別に，ベゾスはアメリカで最も有名な新聞社の一つであるワシントン・ポストの所有権をもっている，という私たちを不安にさせるような事実もある。

低価格と無料サービスは巨大ハイテク企業の特徴的な戦略であり，その理由は容易に理解できる。しかし，この戦略が雇用，安定した経済，機会均等な開かれた市場，政治に与える影響を見るのは簡単ではない。

市民メディアとテクノロジーの研究者であるイーサン・ザッカーマンは最近，アマゾンと，同様に政治ロビー活動を活発に行っている巨大小売企業ウォルマートとの顕著な類似点について以下のように私に語った。その類似点は，ハイテク企業ビッグ5の一部として市場で果たす立場にかかわるという。どちらも「仲介者」として機能し，顧客や商品供給者に依存を強いることで，権力の中心的な位置にいられるような経済環境を形成する。

> アマゾンは表ではハイテクだが，裏ではウォルマートだ。ハイテク企業のマレット*1だ。表ではシリコンバレーの企業のように見えるが，裏ではウォルマートのような，底辺まで追い込むようなイデオロギーをもっている。……（アマゾンは）基本的に「何を売ってくれても，私たちは本当に気にしない。もしあなたが大きなトラブルに巻き込まれたら，私たちは追い出す。しかし，何よりも重要なのは，私たちが文字通りすべてを売る店であることだ」。

グーグルとフェイスブックはデジタル広告市場を追い詰めており，合計で70％以上のシェアを占めている。両社はそれぞれの分野で象徴的な位置を占めており，全世界で20億人以上のユーザーを抱えている。グーグルは平均して毎秒4万件以上の検索クエリ[*2]を処理しており，1日当たりの検索回数は35億回以上，年間の検索回数は全世界で1.2兆回以上となっている。フェイスブックは動画やソーシャルメディアのネットワークであるインスタグラムやメッセージングサービスのWhatsAppを所有しており，ソーシャルメディアだけでなく，ニュースや時事ネタのプラットフォームとしても支配的な存在となっている。また，iPhoneのおかげで，アップルのデバイスのユーザー数は世界で10億人を突破した。

これらの事実からも，各社の内実を知ることの重要性がうかがえる。たとえば，フェイスブックがインスタグラム，WhatsApp，Oculusを所有することを考慮に入れれば，独占禁止法や規制の問題を超えて，同社の行動を精査すべきである。WhatsAppの「エンドユーザー」暗号化の約束を信用するのは甘いだろう。フェイスブックが個人情報に関して信頼できることを証明していないし，データがまだフェイスブックに送られていることを十分に知っているのだから。一般的に，テクノロジー企業の存在・活動を全体として理解するためには，母体となる企業の情報だけでなく，私たちが使用する個別のさまざまなテクノロジーも考慮する必要がある。

ビッグ5（『ニューヨーク・タイムズ（*The New York Times*）』紙の技術コラムニスト，ファラド・マンジューの表現では「恐るべき5社」）は，未来を創造するテクノロジー企業というよりは，グローバルな帝国と見たほうがよいだろう。彼らは現在の私たちの生活を大きくコントロールしているが，本当に恐ろしいのは，彼らのシステムやツールが私たちの生活，家庭，身体にもっと密接に組み込まれた未来を想像することである。グーグルホーム，アマゾンEcho，アップルのSiriという24時間365日聞き耳を立てているデバイスは，監視を通じて利益を最大化するように設計されて

---

*1 前髪などは短く襟足だけ長い髪形。　*2 ユーザーが検索の際に入力するキーワード。

いる。それらをオフにしたり，無効にしたり，彼らが何を聞いてどのように学習するのかを理解したりすることすら不可能に近い。

第2章　社会契約

近年，デジタルテクノロジーは私たちの生活に深く入り込んでいる。だからこそ，私たちはそれらを誰にでも適合するツールやシステムの集合体としてではなく，特定の契約のセットとして考え始めなければならない。私たちがあるテクノロジーを使用するとき，私たちは法的な契約書を介してそれを「受け入れる」。契約書は訓練された弁護士以外には長文かつ複雑で解読できない。しかしこの契約は，私たちが何の力ももたない関係を受け入れようとしているという事実を隠している。だからこそ，私たちがデジタルテクノロジーに関する決定を下す際には，その約束と危険性を考慮することが重要なのだ。

ハワイ州のデービッド・イゲ知事は，ツイッターのパスワードを忘れていたために，ミサイル警報（のちに誤報と判明した）を州民に通知できなかったと説明したことがある。このような状況は，私たちが個人生活，社会生活，経済生活，政治生活を民間や企業のテクノロジーに不適切な程度までに委ねてしまっていることを露呈している。国家の命運が政治家のツイッターアカウントにかかっているケースもあるが，私たちはツイッターについて何を知っているのだろうか？

デジタルテクノロジーが市民の活動に与える影響から話を変えて，私たちの生物学的データが広く利用されていることに目を向けてみよう。状況は同じではないだろうか。最近のiPhoneには，指紋や網膜スキャンなどの識別技術が搭載されている。アップルのヘルスケアのシステムは医療データも収集している。遺伝子識別技術はどうだろうか。たとえば，バイオテクノロジーやパーソナルゲノミクス（個人の遺伝情報の分析）の会社である23AndMeは，顧客にDNAの検査結果を提供する。この会社は，グーグルの共同創業者セルゲイ・ブリンの元妻のアン・ウォジツキによって設立された。この会社も精査される必要があるが，その理由は私たちのDNAデータが不正行為に利用される可能性があるというだけではない。私たちのデータが民間企業，それもグーグルと密接に関係する企業からアクセス可能な場合，安心していられるだろうか？　企業に立証責任が課され，データがどのように使用されているか（または使用される予定か）が開示されるべきではないだろうか？　23AndMeはプライバシーに関する限り約束破りの記録を更新してきた。たとえば，イギリスの子会社であるディープマインド・ヘルスは，グーグルのアカウントやサービスからデータを分離して非公開にするという約束を破った。なぜ同社はこのようなことをするのだろうか？　ユーザーとそのプライバシーに対する以前の約束に反したとしても，企業の観点からはデータが多いほどよいと考えられるのがほとんど常だからだ。

未来学者で元MIT（マサチューセッツ工科大学）教授，現在はグーグルに勤務するレイ・カーツワイルは，人間の意識を機械に融合させ，老化する人体の限界を克服することで生命を不老不死に変えるというビジョンを著書や講演で語っている。彼は，シンギュラリティと呼ばれる未来がくることを信じている。そこでは「テクノロジーの変化があまりにも速く，影響があまりにも深くなり，人間の生活が不可逆的に変容する……ビジネスモデルから死それ自体を含む人間の生命のサイクルに至るまで，人生に意味を与えてきた概念を一変させるだろう」。カーツワイルは，主たる関心がテクノロジー開発の進歩にある多くの未来学者と同様に，シンギュラリティを，世界の現実に照らして疑問を抱かれ熟考されるべき可能性としてではなく，既定のものとして扱っている。

そのような議論を欠いたまま，私たちは近視眼的に前進している。DNAと膨大な量のデジタルデータが利用可能になった今，私たちに似た「知的な」アンドロイドマシンがつくられるときが近づいているのだろうか？これでよいのだろうか，そして，これらの発展に私たちが署名したかもしれないことさえ認識していないのではないか？

確かに，人間と機械の融合は進み，『ウエストワールド』や『ブラック・ミラー』のようなSFテレビドラマ，『ブレードランナー』，『マイノリティ・リポート』，または『マトリックス』のような映画，およびJ・G・バラード，フィリップ・K・ディック，ウィリアム・ギブスンのようなサイバーパンクの作家たちの本の世界が，むしろ現実的に思えてくる。これらの作品は，よくも悪くも伝統的な社会秩序の崩壊を目撃している世界を提示する。その世界では，強力な力によって，真実と虚偽，支配と影響力，自由と隷従，病気と健康，さらには快楽と苦痛の境界線さえもが曖昧になっている。これらの物語は，私たちが必ずしも理解していない計算システムと格闘することが何を意味するかを示している。私たちがこれらのシステムに制御を委ねることで，平等と民主主義の原則に根ざした未来の物語を喪失する可能性があることを教えてくれる。

受賞歴のあるBBCの映像作家アダム・カーティスは最近，2002年のドキュメンタリー映画『自己の世紀』以降に起こった政治的・技術的な激動から何を学ぶことができるかについて語った。この4回シリーズの作品では，ジグムント・フロイトの甥であり，広報の父と呼ばれるエドワード・バーネイズによって1920年代に普及し，実践された理論について探っている。バーネイズは，消費主義は人々の不合理な欲望をコントロールし，ファシストや国粋主義者のプロパガンダの影響を受けやすい状態にするために使われうると考えていた。今日，カーティスは，バーネイズの「機械と行動心理学によって管理された……非常に単純で非合理的なロボット……」という人間の概念は，特にソーシャルメディアの台頭によって，あらゆるものに浸透し，「美しく管理されながらも，同時に……個人であるという感覚を保ち続けることを可能にしている」と述べている。

哲学者フリードリヒ・ニーチェの言葉*を言い換えれば，ロボットの台頭を恐れる人は，自分自身がロボットにならないように気をつけなければならない。これらのデジタルシステムは，自分自身や他者との相互作用を強めているため，さらに不透明で人間の理解や制御から切り離されたものになる危険性がある。カーティスが指摘するように，「私たちは毎日，自分自身の決断の亡霊が，微妙に形を変えて再生されるなかで生きている。私たちは何も信じていないし，未来のビジョンも，これに代わる大きなビジョンもない。ただ生きているだけだ」。

大手テクノロジー企業が現在の私たちの心の状態を支配する力を維持することができたのは，説得力があり，よく練られ魅力的なテクノロジーの定義と未来のビジョン，つまりブランドイメージを私たちに提示してきたからかもしれない。ブランディングを通じて彼らは，最先端の革新的な「破壊者」であり，楽しく，効率的で，実力主義的な未来を形づくるという一般的な認識を注意深く醸成してきた。彼らはまた，ローカルとグローバルのコミュニティを結びつける「社会インフラ」を構築し（フェイスブック），「世界の情報を整理し，普遍的にアクセス可能で有用なものにする」こと，そして「邪悪にならない」で情報を「神の精神」のようなものに同化させようと意図することを宣伝している(グーグル)。アップルは「違った考え方をすること(think different)」を約束する。アマゾンは「世界で最も顧客中心の企業」であること,「一生懸命働き,楽しみ,歴史をつくる」ことができる場所であることを誓う。マイクロソフトは「来るべき何か(what's next)」になることを誓う。これらの宣言のなかで,大手テクノロジー企業は,グローバルな共同体の場であるだけでなく,神聖な革新者,未来の発明家としての役割を果たすことを主張している。しかし,「楽しさ」が終わり,「悪」が忍び込んできたとき,彼らのテクノロジーが意図しない負の結果をもたらしたとき,人々を傷つけたとき,これらの企業はほとんど動じない。また,ビジネスモデルや秘密主義,しばしば短期的な利益志向の考え方を変えようとはしない。突然,自分たちのテクノロジーの害について説明を求められても,歴史をつくる宇宙の覇者たちは,単に「プラットフォームを提供している」に過ぎず,それがどのように使われたかについて責任を問われることはない。

このような企業を横暴とみなし,自分たちを無力と見るのではなく,自分たちの価値観をよりよく反映したテクノロジーを求めて闘うべきである。第一歩は,テクノロジーは価値中立的であるとか,何となく本質的に有益であるという神話を捨て,その代わりに,これらの企業が選択する設計,エンジニアリング,およびビジネスの原動力となっている価値観の透明性を高めることを要求することだ。それらの価値観が経営者や株主の福利のために役立っているにもかかわらず,ユーザーのために役立っていないのであれば,私たちは変化を求め,私たちが使用しているテクノロジーについて再考し,私たちが支持している企業を精査するときが来ているのだ。

---

* 怪物と戦う者は,自分自身が怪物にならないように気をつけなければならない。

テクノロジーは価値中立か？

「銃が人を殺すのではなく，人が人を殺す」。

アメリカに住んでいる人なら，この言葉を聞いたことがあるだろう。意味するのは，価値観はテクノロジーに内在するものではなく，そのテクノロジーがどのように使われるかにのみ存在するということだ。これは，テクノロジーは中立であるという神話に似ている。アルフレッド・ノーベルの例を考えてみよう。爆発性の高い液体ニトログリセリンの安全な使用法を提供するための彼の努力は，ダイナマイトの発明につながった。しかし，ダイナマイトが鉱山や解体産業にもたらした利益は，実験中に発生した死亡事故を正当化することはできなかった。米西戦争[*1]中に軍が大砲を強化するためダイナマイトを「悪用」したことをきっかけに，フランスの新聞は，自称平和主義者である発明者を「死の商人」と呼んだ。ノーベルは彼が後世に残すものをよりよいものとするために，自らの名前で賞を制定するしかないと感じた。

ノーベルによるダイナマイトの発明は，あらゆるテクノロジーの開発を推進する目的や可能性についての問題を提起している。ノーベルは世界を改善することを目的としていたのだから，彼自身のモラルや価値観もそれに応じて判断することができる。しかし，それにしても，彼がその目的を果たすのにどれほどの成功を収められたのかということが問われている。ダイナマイトのような物質は，その能力を発揮させるために外部の要素を必要とするかもしれない。しかし，ダイナマイトは大きな破壊力をもち，設計の際にはその破壊力を考慮することができる。だから，そのようなテクノロジーは価値中立ではなく，ある価値観を担っているといってもよいだろう。

テクノロジー自体が道徳的な判断をしないのは事実だが，テクノロジーの設計がある種の行動を可能にしたり，促進したりする可能性はある（たとえば，ソーシャルメディア上での人生の出来事の共有など）。あるいは，私たちが行動する能力を妨げることもできる（たとえば，購入した製品に手を加えることをアップル社が許可しないことは，古いノートパソコンを修理する能力を妨げる）。

私たちは，さまざまなハイテク企業が社会的に善良な価値観をもっていると思い込むのではなく，その企業の野心，利益，成長モデルを考えるべきである。驚くことではないが，社会的な使命をもってスタートした多くの企業も，その使命とは正反対の収益モデルに振り回されてしまう。これはほかの産業でもテクノロジー産業においても同様だ。しかし，テクノロジーは私たちの日常生活に信じられないほど浸透したことで，ほかに類を見ないほど強力なものになっている。

社会を支配するイデオロギーは，アルゴリズムにエンコードされたものと同じく，社会の不平等の原因となっており，そのなかで権力を握っている人々によって支えられていることがあまりにも多い。iPhone Xのなかの顔認識システムに組み込まれたバイアスの例を考えてみよう。このシステムは中国の複数の人の顔を区別できなかった。バラク・オバマ前大統領の顔を白くしたロシア製のフェイスアップ（FaceApp）はどうだろうか？（図2.1）そして，マイクロソフトがTayというAIチャットボット[*2]をツイッター上に設置したときはどうだったか（TayTweets@TayandYou）。差別的で党派的な世界で導入され，「学習」する能力をもっていたおかげで，Tayのツイートは数日のうちに人種差別的，同性愛嫌悪的，排外的，性差別的になってしまい，すぐにマイクロソフトに停止された。

[*1] 1898年にスペインの植民地をめぐって起きた戦争。勝利したアメリカはグアムなどを得た。

[*2] 自動的に返答するシステム。

図2.1　フェイスアップによるバラク・オバマの「白人化」（出典：テッククランチ）。

テクノロジーについての論争は，二つの主要な主張が原動力となっている。一つ目は，テクノロジーは私たちがどのように生き，どのような人間であるかにとって中心的なものであると考える。哲学者であり，ここ数十年でポップカルチャーの人気者となったマーシャル・マクルーハンが，「メディアはメッセージである」という流行語を生み出したことを考えてみてほしい。この観点からは，私たちの経験はテクノロジー，具体的には情報の受け取り方によって決定されるといえる。たとえば，テレビは，私たちの注目や没入感をどう形成するかという点でラジオとは大きく異なる。マクルーハンの表現は，テクノロジーがどのように構築され，設計されているか，つまり，私たちが機能として理解しているものではなく，その形態そのものが，私たちのユーザーや視聴者としての経験を形づくっていることを明らかにする。

二つ目の視点は本書で探求するもので，情報の利用者，視聴者，消費者はより大きな主体性をもっており，私たちが使用するテクノロジーやシステムを解釈し，改善し，設計し，コントロールすることができるというものである。共同体，利用者，文化は，テクノロジーが私たちの生活にどのような影響を与えるかを決めるうえで大きな力をもっている。私たちは，テクノロジーが何であるかにかかわらず，批判的に見て，次のような問いを投げかけなければならない。その設計を形づくった価値観とは何か？

今日，世界で最も裕福なハイテク企業の経営者の多くが，瀕死（ひんし）の地球上で希少な資源を求めて奔走しなければならないほど悲惨な「終末期」が，近い将来私たちを待ち受けていると考えている。たとえば，『*The New Yorker*（ニューヨーカー）』誌のジャーナリスト，エヴァン・オズノスは，一部の超富裕層の技術者たちが武器や食糧を備蓄し，地下のシェルターまで準備していると書いている。皮肉なことに，これらのハイテク億万長者はテクノロジーが「問題を解決する」という信仰を公言するのに，自分たちの発明が私たちの生きるシステムを全体的に改善しているかについて疑問視しているようだ。

どのような経緯があったとしても，少数の人々が大多数の人々の生活の質を犠牲にして利益を得るとき，正義に反している可能性がある。私たちがテクノロジー企業やインターネットサービスプロバイダーとの契約をやみくもに承諾するという事実は，私たちがデジタルテクノロジーに強く依存することを明らかにしている。依存を認めることは，代替案を提唱するための第一歩だ。

第3章　未来の差押え

巨大テクノロジー企業が，自動運転，バーチャルリアリティ，ゲーム技術，ヘルスケア，人工知能システムなどの新しい市場を統合しようとシフトしていくなかで，新たな独占企業が生まれるのを目の当たりにすることになるかもしれない。

独占企業はいくつかの理由から危険だ。第一に，独占により消費者は選択の自由を制限される。(たとえば製薬業界のように)企業が製品価格を不当につり上げた場合，消費者はほかの選択肢を探すことができなくなる。また，労働者は不当な賃金慣行に苦しむことになる。大きすぎる独占企業は，自らの裁量で価格をつり上げることができ，消費者にはほかの選択肢がなくなる。また，各国で独占禁止法が成立し，市場における独占企業の発展を制限しているにもかかわらず，独占企業は集中的な経済的・政治的権力を握っている。たとえば，アメリカの最高裁判決では，保守派NPOシチズンズ・ユナイテッドが連邦選挙委員会を訴えた訴訟*のように，企

* ヒラリー・クリントン上院議員を批判する映画に企業が献金することを禁じた立法が表現の自由を侵害し違憲だとして提起された。

業が法的人格をもち，政治的ロビー活動を無制限に行えることを認めている。

しかし，独占企業は，テクノロジー革新に影響を与える価値体系についての議論を制限することができるため，民主主義社会をも脅かすことになる。たとえば，自動運転車についてのオープンな公開対話が存在すれば，そのような機械が公共空間でどのように動作するのか，どのように規制されるのか，誰が所有を許可されるのか，人間の労働にどう影響するかなどの問題に取り組むことができるだろう。しかし，私たちの将来についての意思決定が行われようとしているのに，そのような対話は存在しないか，あるいは無視されているように見える。

アメリカでは，垂直統合と呼ばれるプロセス，つまりビジネスのさまざまな部分を発展させて，生産から消費の端から端まで展開することが法的に認められている。たとえば，アマゾンは自社でテレビ番組を制作し，それを一般の人が視聴できるサービスを販売している。しかし，水平統合，つまり同じサービスを提供する他社を買収することは，規制する法律があることもあって，一般的には裁判所で認められにくい。

アマゾンが書籍だけを販売していた頃を覚えているだろうか？　今では，アマゾンは独占状態を形成しつつあるが，水平統合とは一線を画す。一つの分野をすべて支配するのではなく，食料品の宅配から娯楽，衣類，書籍，玩具に至るまで，あらゆるものの小売りサービスを提供しているのである。ジェフ・ベゾス自身も「アマゾンがすべてを売るようにしたい」と主張している。このようなビジネスモデルは，市場で一番優秀な競争者が勝つという従来の独占の前提を超えている。今では，市場競争が極端になり，一つの企業が市場を完全に食い物にするようになっている。『ネーション（*The Nation*）』誌はアマゾンについて次のように報じている。

> また，人気のあるテレビ番組や映画の製作，書籍の出版，デジタル機器の設計，ローンの引き受け，レストランの注文の配達，シェアを拡大しているウェブ広告の販売，米情報機関のデータ管理，世界最大のストリーミング・ゲーム・プラットフォームの運営，ブラウスから電池に至るまでの商品の製造，さらには医療分野への進出も行っている。

しかし，アマゾンには世界的な競争相手として，中国の電子商取引大手アリババがいる。アリババとアマゾンは現在，AIクラウドサービスへの投資をめぐって争っている。アマゾンは，物理的な商品の世界だけでなく，2進数のビットで表されるデジタルの世界の流通を再構築し，両方の世界の中心になることを目指している。このような巨大な流通の優位性は，旧来の独占禁止法制との間に緊張を生む可能性がある。それにもかかわらず，アマゾンは物流，（自動化されたドローンによる）配達，さらには実店舗へと積極的に進出してきた。クラウド上の私たちのデータから現実の世界での物の消費まで，流通経路全体の権力を握るために垂直的に拡大してきたのである。その独占的な活動は，ウェブサービスの支配，ワシントン・ポスト紙の所有，ホールフーズなどの食料品店や新規小売店，配送技術や倉庫などの物理的な世界への進出と，あらゆる分野で足がかりを築いている。

アメリカのテクノロジーの巨人たちは，すでに施行されている独占禁止法を変質させ続けている。2018年6月，米連邦地裁は，水平統合が独占規制に反するとの懸念から司法省が異議を唱えていたものの，タイム・ワーナー・ケーブルをAT&Tが買収できるとの判決を下した。これらの通信会社は，ほかの巨大企業が独占や価格を意のままにコントロールすることでさらに大きなリスクをもたらしており，対抗するためにはこの動きが必要だと主張していた。

独占力の問題を念頭に置いて，私は億万長者の投資家であり，パートタイムのギタリストでもあるロジャー・マクナミーに話を聞いてみた。マクナミーは数十年にわたってさまざまなテクノロジービジネスに資金を提供してきたあと，2004年に未公開株投資会社エレベーション・パートナーズを設立した(ロックスターのボノはこのベンチャーのパートナーだった)。マクナミーは自分自身をマーク・ザッカーバーグのメンターと考えており，フェイスブックの創業者を現在の最高執行責任者シェリル・サンドバーグに紹介した人物でもある。このためフェイスブックの何がおかしくなったのか，特に2016年の大統領選挙に関連して議論するためにメディアは彼を追い回してきた。マクナミーの私への説明では，私たちは価値観の限定化，イノベーションの縮小を目の当たりにしている。なぜならば，(独占企業は)ほかの多くの視点を窒息させているからだ。それらの視点が健全な対話に取り入れられれば，新しいテクノロジーやそれがどう開発され，導入されるべきかという展望について議論できたはずだという。

小売業から銀行業に至るまでの産業で少数の企業への集中が起きてきたが，同様の力学が経済的・政治的な権力を少数の巨大テクノロジー企業に集約させている。多様性，柔軟性，創造性に富む新しい声が参入する余地がなければ，同じことが繰り返されるだろう。中央集権的でエリート主義で，統制的な機関が巨大な権力をもつ少数の人間に運営される。そのようなエリートの特権的な場所からテクノロジーが生まれた場合，それがユーザーとしての私たちの利益につながるとは考えにくいだろう。

あらゆる民間企業に過度な権力を与えることの危険性について考えるため，尊敬すべき独占禁止政策の研究者であるバリー・リンが2017年にニューアメリカ財団から解雇されたときのことを振り返ってみよう。この話には興味深い背景がある。欧州連合(EU)が独占禁止法違反でグーグルに27億ドルの罰金を科すことを決定した直後，リンはこの決定を称賛する声明を書き，ニューアメリカ財団は声明をウェブサイトに掲載していた。しかし，その数時間後にはその声明は削除されたのだ。

ニュースサイト，デイリー・ビーストの記事によると，リンは何十年にもわたって「独占がアメリカ人の生活のあらゆる面に及ぼす有害な影響について警告してきた。食べるものから，使う金融システム，依存するコミュニケーションの形態に至るまで」。『ニューヨークタイムズ（*The New York Times*）』紙の記事によると，グーグルはニューアメリカ財団の大口寄付者の一つであり，グーグルの元CEOエリック・シュミットはこのシンクタンクの理事だ。その結果，リンはハイテク大手に対する規制をめぐる議論の形成で力をもっていたため，犠牲者になってしまったようだ。

リンは現在，反独占推進団体オープン・マーケッツ・インスティテュートの代表を務めている。この団体は2016年に，リンが巨大ハイテク企業のいきすぎと見ていたものを規制することに特化した会議を開催していた。リンのチームは「独占に反対する市民」運動を立ち上げた。ハイテク大手，特にグーグルは，政治的影響を与えるため洗練され影響力のある動きを広げており，おそらく多くの主要な国の政府よりも影響力があると彼らは主張している。

リンは『ワシントン・ポスト（*The Washington Post*）』紙への寄稿で「私はグーグルを批判した。それでクビになった。これが企業の権力だ」と題し，寄付者である企業がシンクタンクの事業計画を支配すると何が起こるかを論じている。企業の権力は，大学，新聞社，コミュニティ団体など，私たちが平等，多様性，正義のために闘う際に頼りにするあらゆる独立した組織を脅かすことができる。リンが指摘するように，「設計上，民間企業は自分たちの利益を追求するようにつくられている。企業の行動によって国家に対する国民の主権が脅かされることがないように，企業を十分に小さく抑える政治経済を構築することは，市民としての私たちの任務である」。彼の議論はアメリカに焦点を当てているが，巨大テクノロジー企業の活動に対抗する能力がさらに低い小国にも適用できる。

公共生活の民営化

世界で最も強力な企業のいくつかは，私たちが情報を見つけたり，お互いにコミュニケーションをとったり，品物を売買したりする方法を定義するテクノロジーを生み出した責任を負っている。今日，これらのテクノロジーは世界中の何十億人もの人々の手に渡っており，オンラインでの私たちの集団生活を規定する公共の体験を，しばしば民間企業が私たちのためにコントロールし，利益を得ていることを意味している。

公共生活の多くが民営化されているのはアメリカだけではない。学校，病院，銀行，道路，軍隊，警察，さらには刑務所までもがこの道をたどってきた。これらの機関は，私たちの公共生活に直接影響を与え，公共の利

図3.1　コンパスのシステムでは，左の黒人は右の白人よりも再犯率が高いと判定される（出典：プロパブリカ）。

益に奉仕する責任を負っている。しかし，営利目的の機関であるという企業の定義からすれば，公共の利益が最優先ではなくなるかもしれない。これらの民間企業の説明責任は主に彼らの幹部と株主に対するものであり，たとえ税金から資金を提供されていたとしても，彼らの使命は利益を上げることだ。

インターネットもまた，この道をたどってきた。ユースネットのフォーラム（Usenet forum）*など，オンラインでのコミュニケーションを形づくった初期の空間のいくつかは，非営利だった。リナックス（Linux）のようないくつかのオペレーティングシステムやモジラ（Mozilla）のようなブラウザは，商用利用のためにつくられたものではなかった。しかし今日では，オンライン上で私たちの公共生活を管理する，民間営利企業の権力が拡大しているのを目にする。特定の自動化されたAIシステムが設計され，政府の機能や機関の多くの業務を肩代わりするようになっているのだ。

法執行の分野における次の二つの例を考えてみよう。どちらも，公的機関が民間企業の開発したテクノロジーをどのように利用するかを示している。一つ目のコンパス（COMPAS）と呼ばれるシステムは，再犯率スコア，つまり有罪判決を受けた犯罪者が将来別の罪を犯す可能性を計算するものである（図3.1）。第二に，プレッドポル（PredPol）は，予測的な警察活動システムだ。全国の警察署では，犯罪がいつどこで発生するか，警察が特定の街や地域をいつ監視すべきか，ある犯罪がギャング活動の一部かどうかをアルゴリズム的に判断するために使用されている。

● コンパスと容疑者の再犯率

ノースポイント社によって開発されたコンパスシステムは，非営利の報

---

* WWW以前から存在した，電子会議室に似た情報発信・共有のシステム。

道機関プロパブリカの二人のジャーナリストによる綿密なレポートで，かなりの精査を受けている。二人はまず，犯罪記録のない18歳のアフリカ系アメリカ人の少女，ブリシャ・ボーデンのケースを記録している。2014年，ボーデンとその友人は歩道で80ドル相当の子供用キックスケーターと自転車を拾い，通りを走り始めた。近くに住む女性が二人を発見し，自転車とキックスケーターは6歳の息子のものだと声をかけた。少女たちは乗るのをやめて歩き去っていった。しかし，これを目撃した別の隣人は，すでに警察を呼んでいた。ボーデンは逮捕され，強盗と軽窃盗で起訴された。

武装強盗の前科があり，刑務所に何年も服役していた41歳の白人男性バーノン・プレイターのケースと比較してみよう。プレイターは，ホームデポの店舗から86ドル35セント相当の商品を万引きした罪で逮捕された。コンパスシステムは，（未成年時に軽犯罪しか犯していない）10代の黒人少女ボーデンは，重罪で有罪判決を受けた白人男性プレイターよりも再犯の危険性が高いと結論づけた。

このシステムの判定は，人種，年齢，性別が，重罪判決や服役期間よりも，潜在的な犯罪性の判断において重視されていることを示唆している。コンパスはまた，黒人の被告人は前科がある白人と比べても罪を犯す可能性が2倍あると判定した。フロリダ州ブロワード郡のデータを基にしたコンパスの凶悪犯罪に関する予測は，80％の確率で間違っていることが判明している。このシステムが使用されているナパ郡（カリフォルニア州）地方裁判所のマーク・ベーセンカー判事は次のように説明する。「職に就いている男性は，1年間毎日小さな子供に痴漢行為をしたとしても，低リスクと判定される可能性がある。……一方，家をもたない酔っ払いの男は，高リスクと判定されるだろう」。

プロパブリカの調査には，芝刈り機といくつかの工具を盗んだとして刑務所に送られた48歳の建設作業員，ポール・ジリーのケースも含まれている。コンパスは，ジリーを暴力的な再犯の可能性が高いと判定したが，ジリーはキリスト教の牧師と協力して窃盗の決断に影響を与えた問題に取り組んでいた。このような積極的な改心の試みにもかかわらず，コンパスのシステムは，裁判官が判定を見ていなかったら出したであろう判決よりも，より懲罰的な判定を下した。この問題は，無罪か有罪かということを超えて，自分の人生に対する権力の問題にまで及んでいると，ジリーは説明している。「私が無罪だとは言わない。でも人は変われると信じているんだ」。

「親のどちらかが拘置所や刑務所に送られたことがあるか」「学校で何度もけんかをしたことがあるか」といった質問は，システムがアルゴリズムで判定する際の基礎となっている。不可解なことに，多くのコンパス支持者はこのような質問への回答は人種との相関性が高くないと主張するが，社会科学的研究は人種が犯罪に関する決断の要因の一つとなることを示している。これらの研究を否定する者に対して，私たちはしばしば別の疑問を耳にする。これは人種差別主義者の裁判官よりはよいのではないか？この疑問は，人種差別的な裁判官や人種差別的なアルゴリズムしか選択肢にないと仮定している。代わりに，私たちが求めるような，人種的正義が優先され，人種的バイアスが排除された世界を支えるようなほかのテクノロジーを要求したらどうだろうか？　この国で最も犯罪者となる可能性が高いとみなされている人々が，これらのテクノロジーの設計や実装の支援に参加したらどうだろうか？

• 予測警察活動と人種差別

ロサンゼルス市警（LAPD）は2014年から，1/3以上の部署でプレッドポル（予測的警察活動）システムを導入している。ある犯罪がギャングと関係があるかどうかを判断するために，文章で記録された犯罪報告書を使用しない。代わりにプレッドポルは，容疑者の数，使用された主要な武器，犯罪の起きた場所などの定量的で「雑然としていない」データから，「部分的に生成的なニューラルネットワーク」，言い換えればアルゴリズムで書かれた犯罪報告書を作成する。警察は，これらのデータに基づいて作成されたギャングの縄張りの推定地図を配布する。

ウェブサイト『e-flux』の記事で，ジャッキー・ワンが詳細に説明している。プレッドポルは管轄区域の地図を分析し，犯罪が発生する可能性が高い場所・時間帯が赤い四角い枠で地図上に表示される。これらの「空間的な」ゾーンを警察官が実際にパトロールする。ワンは「次に何が起こるのか」という多くの問題を次のように提起しているが，そのうちのいくつかはすでに予測警察活動に批判的な市民や公民権運動団体が問題視するものとなっている。

> 赤い枠が表示された場所をパトロールする警察官の精神状態はどのようなものか？　警察官がその場所に入ったとき，犯罪が起きている最中に出くわすことを予想しているのか？　犯罪が発生していることを予期することが，実際に警察官が発見することにどう影響するのか？　警官がパトロールする間に一時的な犯罪ゾーンを通過した人は，自動的に不審者として認識されるのだろうか？　赤い枠を通過しただけで逮捕の正当な理由になるのだろうか？

ワンはまた，『監獄資本主義』を執筆している。これは人種差別や犯罪についての認識に影響を与える支配のテクノロジー（刑務所の内外を問わず）に関する原稿をまとめたものだ。ワンは，プレッドポルシステムが，国防総省が資金を提供するソフトウェアから発展し，イラクで反政府軍を追跡し，死傷者を予測するに至った過程に注目している。カリフォルニア大学ロサンゼルス校（UCLA）の人類学教授でプレッドポルの共同開発者であるジェフリー・ブランティンガムは犯罪者について進化論的な見解をもっており，犯罪者は「現代の都市における狩猟採集民であり，欲望と行動パターンは予測できる」としている。そのような理解は,「未来についての確実性と知識を求める私たちの欲求に訴えかけている」とワンは言う。しかし，その欲求を満たすことが，最終的に私たちの不利益に働くことはないのだろうか？

少し戻ってプレッドポルのセールスポイントを調べてみよう。それは犯罪現場の「雑然とした」描写が不要となることだ。これは,システムのアルゴリズムで定式化され，可視化されたデータが，きちんと反映された(したがって真の)現実を表すことができるということを意味する。しかし実際は,そのようなデータは「私たちの現実を積極的に構築する」とワンは言う。このようにシステムは，現実世界のそれぞれの出来事を形づくる主観性や文脈を無視する。これらの出来事は，客観的な学習アルゴリズムを使って処理したり計算したりするのは明らかに困難だ。システムの予測判断の根拠に，警察が前にその場所をパトロールしたというデータしかなく，しかもパトロールした理由が貧しい地域だというだけだった場合はどうなるのだろうか？

プレッドポルは一貫して，実装された都市における犯罪の減少に貢献することができると主張する。しかし，犯罪率は1990年代以降，アメリカ全土で着実に減少しており，プレッドポルが任意の減少の理由である証拠はほとんどない。たとえば，カリフォルニア州のギャングのデータベースは，アルゴリズムが基礎とし，モデル化した，いわゆる客観的な情報のまさに源だが，間違いだらけであることが判明した。たとえば，ギャングのメンバーとして登録されていた42人の生年月日は，1歳以下になる日付だった。

このテクノロジーが提起した倫理的な懸念について批判されると，2018

年２月に開催された第１回人工知能・倫理・社会カンファレンスで発表された論文の共著者７人（ブランティンガムを含む）の一人であるハウ・チャンは，「私はただのエンジニアだ」と答えた。そのコメントについて考えるなかで，プレッドポルは営利ビジネスであり，警察システムを社会工学化する可能性を秘めたサービスを販売していることを忘れてはならない。

プレッドポルもコンパスも，民間企業がいかにして私たちの公共の機関や生活に影響を与えるテクノロジーを開発してきたかを示している。どちらも，秘密のデータの集合を使用して，人種的・性的マイノリティだけでなく，社会経済的地位の低い人々を不平等なまでに狙い撃ちにする「知的システム」だ。どちらも「統計的に正確」または「数学的に正確」とみなされるため，内在する偏見を目に見える形にすることは非常に困難になる。どちらのシステムも，そしてそれを利用する裁判所や警察も，誤った判定や予測の影響を考慮に入れていない。また，自分たちの決定が，すでに特定の人種として判断され，社会的・経済的権力から遠いところに置かれている個人や地域社会にどれだけの苦痛を与えるかについても考慮していない。このような近視眼的な視点は，私たちが守らなければならない別の価値観，つまり，複雑さ，社会的背景，市民的意思決定，そして私たち全員がつながっているとみなす共感的なアプローチを無視している。私たちはテクノロジーによって弱いコミュニティをさらに犯罪者におとしめるのではなく，思いやりと修復的司法*を念頭に置いて道具を設計することができるはずだ。

レディット　先祖返りなのか，未来への道なのか？

インターネットは決して専門家や政府だけのものではなかった。それどころか，起業家，カウンターカルチャー，芸術家など，さまざまな人々がインターネットの進化に貢献してきた。1980年代半ばの「オンライン・コミュニティ」の初期の時代から，私たちはインターネットを，共通の興味，趣味，職業，文化的アイデンティティをほかの人と共有するための方法として見ていた。しかし，私たちは，一人ひとりが自分のコンピュータや電話を使って，インターネットを分散的に使うことが，コントロールされることになるとは予想していなかった。インターネットの規模と拡大が，データの収集と操作によって利用されるとも想像していなかった。また，そのデータが，資本主義経済システムのなかでハイテク企業が収益を上げるという最優先の目的のために最大限に活用されるとも予想していなかった。

インターネットの過去の名残が今でも生きているのを見ることができる。「インターネットのフロントページ」であると宣言しているウェブサイト，レディット（Reddit）を考えてみよう。私は最近，レディットのCEOであり共同創設者であるスティーブ・ハフマンにインタビューした。彼は，3億5000万人から4億人のユーザーを抱える自分のサイトを，「オーガニックでピュアな」，インターネット上で最も「人間的な場所」だと表現した。なぜだろうか？　一つには，このサイトが1980年代と1990年代のユースネットのフォーラムやニュースグループへの先祖返りに見えるからだ。それは，スマートなブラックボックスというより，スレッドや投稿のごちゃごちゃしたリストのほうに近く，ユーザーが自分の好きなトピックをめぐってさまざまな会話に加わる機会を提供するサイトだ。

フェイスブックやYouTubeとは異なり，レディットは完全にユーザー主導で運営されている。登録されたユーザーはコンテンツを投稿し，投票して投稿を支持し，異なるコミュニティ（サブレディットと呼ばれ，何百

* 犯罪によって崩壊した人間関係など，その被害を修復することを解決と捉える司法のあり方。

万もある）をお互いに推薦する。フェイスブックやYouTubeでは，ユーザーも投稿や投票などで貢献するが，ユーザーが見るものを決定するのはユーザーの力ではない。レディットは，当初のアプローチを「更新」していない。ユーザーについて収集した個人データに基づく隠れたアルゴリズムを活用していないため，フェイスブックやYouTubeのようにサイトのコンテンツをコントロールしていない。レディットは，ユーザーが参加したいと思う可能性のあるほかのスレッドを提案したり，推奨したりすることはあっても，ユーザーの注目を誘導したり，操作したりしてそれらのスレッドに向けることはない。このユーザー志向の手法のおかげで，アレクサ（そう，アマゾンのアレクサのことだ）がレディットをアメリカで5番目，世界で18番目に人気のあるサイトにランクづけしている。

レディットは広告でお金を稼いでいるが，そのやり方は競合する大手ハイテク企業よりもはるかに透明性が高い。同社は，データ収集，ユーザー分析，データ集計といった隠れたシステムを使ってユーザーをマイクロターゲティング*する方法を広告主に提供していない。広告主はユーザーの詳しい個人データにアクセスすることなく，望む場所へと広告を単純に投稿する。なぜだろうか？　レディットにはそのような戦術は必要ないからだ，とハフマンは言う。スキンケアブランドのロレアルが広告を出したい場合は，「化粧に夢中」コミュニティにいけばよい。隠れた卑劣な方法ではなく，ユーザーが自発的に参加したコミュニティに基づいて，広告主とユーザーを結びつけるというアプローチだ。

レディットが，ウィキペディアと同様に英語をベースにした欧米中心のサイトであることは，ハフマンも認めている。またこのサイトは，政治コミュニティの担当者が投稿やリンクをいくつも禁止せざるを得なくなるような不寛容なコンテンツを掲載して論争を巻き起こしてきた。サイトに掲載された誤った情報が拡散してしまったこともあった。たとえば，2014

年のボストンマラソン爆弾テロ事件のあと，犯人と疑われる人物の不鮮明な写真がソーシャルメディア上で流れた際，あるユーザーがその写真をスニル・トリパティのフェイスブックの写真とともにレディットのフォーラムへと投稿した。トリパティはブラウン大学の学生で，この時点で行方不明だったがのちに自殺していたことがわかった。投稿したレディットのユーザーは，トリパティが爆弾テロに関与しており，FBIが彼を捜索中だという臆測を写真に添えていた。このようにレディットは，ほかのインターネットのフォーラムスペースと同様に，誤報が生まれる場所であり，誤報はサイトのユーザーコミュニティを横断して広まることがある。そこから誤報はさらに，注目度に最適化した収集アルゴリズム（フェイスブックやグーグルニュースで表示されるものを形づくるものを含む）に拾われる可能性がある。

しかし，レディットには欠点があるにもかかわらず，このサイトは，インターネットが初期の支持者やユーザーにとって「コミュニティ」を意味していたことを思い出させてくれる。これは，今日の巨大ハイテク企業にも当てはまることだった。たとえば，フェイスブックは2004年にコミュニティネットワークとしてスタートした。当時はハーバード大学の学生がコミュニケーションや情報共有をするための場所だった。その後，ほかの大学にも拡大し，最終的には，少なくともメールアドレスをもっている人なら誰でも利用できるようになった。また，グーグルは，自らをコミュニティのためのテクノロジーであるとしていた。1998年の設立から10年という短い期間で「ブログ，インスタントメッセージ，ショッピング，ソーシャルネットワーキング」のサービスを運営し，「ワープロや表計算などのツール群」で仕事場でのマイクロソフトの役割に挑戦し，アップルの

---

* 広告・選挙などで，ターゲットとなる人を個別に詳細分析し，効果的な戦略を構築する手法。

iPhoneに対抗するために携帯電話向けのソフトウェア・プラットフォームを構築し始めた。

ハーバード大学の法学者ローレンス・レッシグと少しだけ話をしたことがある。コミュニティのためのテクノロジーが巨大な民間企業に変わっていったことを考えると，私たちとインターネットはどこに向かうのかということを議論した。レッシグは，影響力のあるいくつかの著書のなかで，インターネットが「高潔な表現」の形を促進したと主張する。アップロードやダウンロード（またはストリーミング）というピアツーピア（P2P）*の経験が，非金銭的な利益に基づく新しいコミュニティの形成をサポートしてきたというのだ。レッシグは，「技術的な設計と公共の価値との密接な関係が，為政者や技術者にとって明らかになるようにしたい」と語った。彼は，「インターネット上で顕在化する特定の価値観は，そのテクノロジーの設計に依存してきた」と強調する。しかしレッシグは，インターネットユーザーにジャンクフードのように中毒性のあるコンテンツを消費させ，風評や虚偽の情報を野火のように拡散させることで，インターネット技術者が金を儲けていることへの不満を表明している。市場を支配するテクノロジーが中毒性をもつに至り，独占的で，民主主義にとって不健全なものになっていることを認識し，規制当局はこれについて何かをすべきだとレッシグは宣言した。競合他社や今日のハイテク企業に代わる存在が生存可能な環境を推進するために，為政者はできることをしなければならない。

---

* コンピュータ同士がデータをやりとりするシステム。

第４章　断絶と接続

法廷や警察署で使用するために設計された知的コンピュータシステムは，例外ではなくむしろ標準となってきており，今日，不可解で困惑させるような方法で多くのテクノロジーが開発され，展開されている。前章で見たように，これらのシステムはあるパターンに従っており，効率と接続性を約束して私たちの生活に登場する。しかし，私たちが何につながっているのか，つながっているとはどういうことなのかについての私たちの理解を曖昧にするような方法で動いている。このようなことが起きるのは，私たちの世界をインターネットに接続する権力を握っている者たちが，人々に奉仕すると主張するものの，あまりにも多くの場合にその人々と断絶しているためだ。プレッドポルの開発者であるハウ・チャン（第3章で説明）は「ただのエンジニア」である。マーク・ザッカーバーグは，夢をもっていたハーバード大学出身の若者に過ぎない。スティーブ・ジョブズは，世界を旅したただの偶像破壊者。ジェフ・ベゾスは，民間宇宙旅行に夢中になっている，世界で最も裕福な男の一人に過ぎない。

この断絶はどのようにして生じたのだろうか？

1997年にさかのぼってみよう。当時，私たちはインターネットが情報を解放し，情報アクセスを民主化したことを祝っていた。しかし当時からフランスの哲学者ポール・ヴィリリオはインターネットを潜在的な「情報爆弾」と見ていた。そのような情報の爆発によって，インターネットユーザーは圧倒されて混乱し，民間企業や強力な国家によって生み出されるテクノロジーに対する完全な支配を放棄するだろう，と主張したのだ。ヴィリリオは，情報の移動のスピードが速まることで，「仮想化」が生まれ，時間も空間も以前ほど重要ではなくなるだろうと警告している。私たちは皆，権力者の利益を支えるためにつくられたテクノロジーに支配される危険性がある。

1997年以来，ヴィリリオはデジタル世界についての懸念を提起する多くの著述家の一人だ。物議を醸してきたネオコンの政治家ヘンリー・キッシンジャーも，新しいテクノロジーは「スピードを重視するため熟考を阻害する。それは思慮深い者よりも過激な者に力を与えようとし，その価値観は内省ではなく下位グループのコンセンサスによって形成されている」と今日では主張している。

デジタルフットプリント

多くのテクノロジー・プラットフォームは私たちの個人データを使用するため，私たちの経済的，文化的，政治的な未来の方向を変える力を秘めている。しかし，これらのプラットフォームは人々に奉仕するのではなく，透明性がないことで有名な少数の民間企業の事業計画を支える傾向がある。

私たちのデータを収集，販売，分析する企業は，データを利用して私たちが何をするかを予測できると主張している。多くの研究が，ハイテク企業がフェイスブックの「いいね！」の集合だけに基づいて，その人の身元や行動についての結論を出すことができることを示してきた。しかし，問題はオンラインでの意図した投稿，「いいね！」やコメントを超えている。私たちの行動を評価し，影響を与えるために使用されるデータの多くは，私たちが気づかず，あるいは意図せずに公開した情報に由来している。

たとえば，私たちが携帯電話やクレジットカードを使用する際には，その背後にあるアプリを制作・管理する企業や，私たちのデータを売買する仲介業者にデータを提供している。私たちがスマートフォンをもち歩くと，ソフトウェアテクノロジーが私たちの生体認証データを追跡するだけでなく，私たちがどこにいき，どこでどのような場所でどのような人と交流しているかについての情報も収集する。このデータは，オンラインでウェブサイトを閲覧したりクレジットカードを使ったりしたとき，あるいは監視カメラが公共空間で私たちの動きを捉えるときに，私たちが残す「デジタルフットプリント（デジタルの足跡）」となる。私たちが日常生活でインターネットを使うなかで，データをどれだけの量とどれだけの頻度で手放しているのか，コントロールも意識もほとんどしていない。フェイスブックの私たちに関するデータの多くが，このように利用できる仕組みになっているのは気になるところだ。しかし，はるかに恐ろしいのは，私たちが残すほかのすべてのデジタルフットプリントとこのデータを組み合わせる能力だ。そう，フェイスブックがもっているデータから私のアイデンティティを垣間見ることができ，そこに集積された私のオンラインデータを加えれば，私の姿をもっと深くまで侵入して見られるようになる。

私たちのデータを分析する計算モデルは，私たちの行動，意思決定，経験に大きな影響を与える。私たちについて収集されたデータは勧誘アーキテクチャにフィードバックされる。このアーキテクチャは私たちに何をどのように見させるかを決定するためにつくられたオンライン環境だ。

スーパーマーケットのレジの動線について，勧誘アーキテクチャを考えてみよう。私たちはジャンクフードやスナック菓子，どこにでもあるタブロイド紙にさらされ，陳列されている商品を購入するかどうかの判断に影響を受ける。勧誘アーキテクチャは，オンラインではより巨大な規模で，より即時性が高い。目にするものは，私たちが提供するリアルタイムの情報に基づいてパーソナライズ*され，クリックしたり閲覧したりする「選択肢」はより強力なものになっている。

私たちのデジタルフットプリントを分析する可能性に関する研究は新しいものではない。スタンフォード大学教授のミハウ・コシンスキーは2012年に，わずか68個のフェイスブックの「いいね！」からユーザーの肌の色，性的指向，支持政党を予測できることを実証した。しかし，それだけではない。彼をはじめとする研究者たちは，知能，宗教，薬物やアルコールの使用，さらには両親が離婚しているかどうかまでも予測することができた。70の「いいね！」があれば，その人の行動を同僚より正確に判断するのに十分で，150の「いいね！」があれば，親が子供について知っていること，300の「いいね！」があれば，パートナーや配偶者が知っていることを上回る。この主張は，十分なデータの痕跡を集めて計算するだけで，その人のIQが予測可能になるというものである。

これらのモデルに困惑させられるのは，「セクシュアリティ」「知性」「行動」などの用語を非常に限定的に定義していることだ。そうすることで，人生の最も複雑な部分を定義する方法を，ゼロか1か，イエスかノーかの論理のレッテルに追いやってしまうのである。さらに悪いことに，私たちの目に見えない方法でこれが行われている。そして，隠されていることで，プロセスのなかで私たちについてどのような情報が含まれているか，または除外されているかを知ることができないかもしれない。オンラインで見るおすすめを信じるのはわかるが，それが私たちの自らに対する理解と矛盾していたとしたらどうだろうか。

ハイパーリアルへようこそ

今日，電子メール，テキスト，およびビデオチャットでコミュニケーションをとることができる私たちの能力は，連絡を取り合い，共有し，情報を交換してきたこれまでのやり方との連続性を維持している。しかし，コミュニケーションのスピードは，即座に，またはそれに近い時間枠で（しかもほとんどコストがかからず，多くの場合無料で）私たちを対面させてくれ，一見，摩擦のない気楽さを保証する。

しかし，このような効率化にはコストがかからないわけではない。『ニューヨーク・タイムズ（*The New York Times*）』紙の最近のオピニオンコラムで，カル・ニューポートは，スマートフォンは「いいね！やリツイートという形で配信される社会的承認の温かさや，最新の速報ニュースや論争に関するアルゴリズム的に増幅された怒りなど，無限の気分転換で私たちを没入させる」ことを示唆している。

シヴァ・ヴァイディヤナサンもまた，摩擦のない気楽さと無限の気分転換の背後に潜む危険性を見ている。2011年に出版された著書『すべてがグーグル化する　なぜ憂慮すべきか（原題：*The Googlization of Everything: And Why We Should Worry*）』では，グーグルのグローバルな展開や「すべてのものを整理する」という使命の弊害について考察している。そして最近の著書『アンチソーシャルメディア』（2020年ディスカバー・トゥエンティワン）では，フェイスブックとその利用の普及が，世界中の民主主義をいかに弱体化させるかを論じている。私がこれらの問題について尋

---

* 個人向けの最適化。

ねると，彼は自らの疑問という形で答えてくれた。

> それは，私たちを賢くしてくれたのか，思慮深くしてくれたのか。それは本当に音声，ビデオ，テキストで私たちを圧倒している。ある意味では，それは私たちの心を麻痺（まひ）させ，私たちの心を鈍らせたが，別の意味では，私たちを啓発し，力を与えてくれた。この質問に対する答えは一つではない。しかし，摩擦を取り除くことで何が起こったかというと，私たちが予想していなかった新たな問題がたくさん出てきたと言ってもよいと思う。

ヴァイディヤナサンは，テクノロジーの「建設的な」変化を社会的エンパワーメント*と同一視してはならないと指摘する。これらのテクノロジーの変化を推進する企業や組織が，その製品がサービスを提供するコミュニティから断絶している場合には危険がある。「性的少数者の若者が，それに対する理解がない異性愛者の住む地域にいるような場合，ソーシャルメディアのつながりの力から多大な価値を得ているかもしれない」と彼は言う。「しかし，それは全体としては大惨事だ。なぜなら，それは大規模に変化するシステムの一部だからだ」。

これらのプラットフォームの規模は，私たちの経済的，政治的，文化的基盤を揺るがす力をもち，私たちからの意見を取り入れることもないし説明責任ももたないとヴァイディヤナサンは主張する。私たちのメディア，金融機関，売買の場，図書館，そして最も劇的なことに，私たちの民主的な機関は，すべて新しいテクノロジーの挑戦を受けている。これらの機関は批判に応えなければならない。これらの機関に説明責任をもたせることはあらゆる民主主義社会の信条であるが，すべてをテクノロジー化しようとする私たちの熱意のなかで，風呂水を捨てるのと一緒に赤ちゃんを投げ

Trump dice colonias de Israel no favorecen paz

Es la primera vez que el presidente de Estados Unidos asume una posición sobre el desarrollo de los conflictivos asentamientos israelíes

JERUSALÉN. AFP. El presidente estadounidense Donald Trump dijo en una entrevista publicada el viernes que el desarrollo de los colonias israelíes "no es bueno para la paz", su primera toma de posición sobre esta cuestión desde que llegó a la Casa Blanca.

"No soy alguien que piense que el desarrollo de las colonias sea bueno para la paz" dijo Trump en una entrevista publicada en hebreo por el periódico gratuito israelí Israel Hayom, pocos días antes de recibir al primer ministro Benjamin Netanyahu.

También aseguró que está estudiando "muy seriamente" el traslado de la embajada de Estados Uni-

ruptura con la política de Estados Unidos y de gran parte de la comunidad internacional, que considera que el estatuto de Jerusalén -también reivindicada por los palestinos como capital de su futuro estado-, tiene que decidirse mediante negociaciones.

En caso de traslado, el presidente Mahmud Abas dijo que la Organización por la Liberación de Palestina, considerada por la comunidad internacional como representante de todos los palestinos, podría dejar de reconocer a Israel, una medida que llevaría los esfuerzos de paz 20 años atrás.

Seguridad

WASHINGTON. EFE. El presi-

Donald Trump, presidente de EEUU.

Benjamin Netanyahu, premier israelí.

Familiares policías protestan en Brasil

RÍO DE JANEIRO. EFE. Pequeños grupos de familiares de policías militarizados se manifestaron hoy a las afueras de varios cuarteles de Río de Janeiro en demanda de mejoras salariales y de trabajo de los efectivos.

La protesta comenzó de manera pacífica a primera hora de la mañana durante el cambio de turno en algunos batallones de la Policía Militarizada, como los de Frei Caneca, en el centro de la ciudad; Olaría y Tijuca, en el norte.

Los manifestantes, en su mayoría mujeres, portaban carteles pidiendo mejoras salariales la renovación de equipamientos y beneficios laborales.

El movimiento tiene características parecidas al que comenzó el último sábado en el vecino estado de Espírito Santo y donde familiares perma-

図4.1　本物のドナルド・トランプではない（出典：エル・ナシオナル）。

出すようなことをしてはならない。

2017年2月にドミニカ共和国の新聞『エル・ナシオナル（*El Nacional*）』紙に掲載された写真を考えてみよう（図4.1）。ドナルド・トランプに見えるが，実は2016年の米大統領選に至るキャンペーン以来，テレビ番組「サタデー・ナイト・ライブ」でトランプのまねをしてきた俳優のアレック・ボールドウィンだ。これはただの悪意のない混同だったのだろうか？　その可能性が高いが，何かもっと重大なことが起きているかもしれない。それは，哲学者ジャン・ボードリヤールが，イメージで飽和した世界のなかで生み出される虚構と現実の曖昧さを表現した言葉「ハイパーリアル」を思い起こさせる。

---

* 弱者の地位を高めるため力を与えること。

私たちは,「トランプの写真」のなかでハイパーリアルが働いていることを，混同の例としてだけでなく，元「リアリティー番組*」のスターである米大統領自身をどう理解しているかという点でも見ている。大統領のツイッターのハンドルネームである@realDonaldTrump（本物のドナルド・トランプ）でさえ，彼のツイートは本物であり，ほかは偽物であることを示唆している。このことは，はるかに重要な問題を呼び起こす。没入型テクノロジーに囲まれた情報過多の世界で，事実と虚構，現実と空想をどのように見分けるのか。

ボードリヤールが1981年の著書『シミュラークルとシミュレーション』（邦訳：2008年法政大学出版局）のなかでハイパーリアルを論じたとき，彼はアルゼンチンの作家ホルヘ・ルイス・ボルヘスの寓話（ぐうわ）を引用した。地図製作者がある帝国の地図をつくることを依頼される。緻密さと詳細さを極限まで追求した結果，地図は最終的に実際の領土と区別がつかないものになってしまう。寓話では，物理的な地図は土に，帝国は風景のなかに，記号と記号化されたものの間の最後の曖昧さを記すように，消えて崩れていく。ボードリヤールが強調したように「砂漠はもはや帝国のものではなく私たちのものだ。砂漠のあちこちに痕跡を残しているのは,現実であり,地図ではない。現実の砂漠そのものだ」。

新しいテクノロジーは，私たちの接続と断絶を拡大する。もしテクノロジーが権力をもつ組織や個人によって生み出されたものであり，その組織や個人が奉仕の対象であるとする人々の生活から断絶しているならば，私たちはハイパーリアルの空間に連れて行かれることになる。そこでは何が現実であるか，私たちが誰であるか，どのようにコミュニケーションをとり，どのように学習するか，といった私たちの理解が曖昧になる。

依存，中毒，誤報

分散化というインターネットの約束は，各ユーザーに力と声を与えることを目標としている。直観的には，この目標は，市民，国家，またはコミュニティが全体の一部でありながら，自分たちが適切だと思うように自己統治し，参加する機会をもつような民主主義社会と調和しているように思える。しかし，ハイテク企業，特にフェイスブックやグーグルが，データの収集と制御の方法を開発する際に，この分散化を悪用すると問題が発生する。

グーグルは，効率的で連携してうまく動作するように設計されたアプリを数多く開発してきた。Gメール，グーグルの検索，グーグルマップ，グーグルドライブ，ハングアウト（チャット）アプリは，連携して完璧に機能している。たとえインターネットの荒野を探索するには検索だけで事足りるとしても，だ。私が第3章で引用した著名な億万長者のハイテク企業投資家，ロジャー・マクナミーによると，グーグルは二度にわたって「天才的な洞察力」を発揮した。一度目は「インターネット上の誰でも使っている20～25の機能」を認識したとき，二度目は「それらの機能に対応した使いやすい無料のアプリを体系的につくり出したとき」である。これらの機能やアプリは，ユーザーの興味をサポートするために，ユーザーがインターネットを探索し，利用するためのデフォルトのインフラを形成した。

シリコンバレーの巨人の「天才的な洞察力」のおかげで，ユーザーは今ではグーグルの製品に依存するようになった。マクナミーが指摘するように，「人々はグーグルのアプリを手放すくらいなら自分の右手の小指を切り落とすだろうし，その結果，グーグルはインターネットを中央集権化し，開

---

* 演技や台本なしで出演者の行動をカメラが追う形式のテレビ番組。

かれたウェブを無意味なものにすることができた」。グーグルは「ユーザーであれ企業であれ，すべての顧客とコンテンツ保有者を自社のシステムに押し込んだ」のだ。これが，同社が引き起こす「すべての問題の根底にある」とマクナミーは言う。「そして，独占禁止法の規制が弱い世界では，この洞察は数千億ドルの価値があった」。

マクナミーが見るところでは，グーグルが少なくとも6つの製品と10億人以上のユーザーを抱えてインターネットを支配しようとする動きは，「やればできるからといって，サンタモニカのビーチに歩いていってショッピングモールをつくること……あるいはニューヨークのセントラルパークを占拠して，入場料を徴収すること」に等しいという。

フェイスブックはグーグルの中央集権戦略をまねて進んだ，とマクナミーはつけ加えている。「消費者の写真と動画のシェアは実質的に80％だ。グーグルは20％だ」「グーグルは検索とメールの80％以上，たぶん90％を獲得した」。しかし，グーグルとは異なり，マクナミーはフェイスブックのビジネスモデルは「（すべての）ユーザーにとって明らかに悪い」と主張している。「人々は毎日のように被害を受けている。メディアの寄生モデルはフォックスニュースが始めたものだが，フェイスブックはそれを別のレベルに引き上げた」「そうするために，フェイスブックはパーソナライゼーションに焦点を当てた。それが彼らの全体的な監視モデルを開始したときだ」。

また，フェイスブックは，何十億人ものユーザーがお互いの写真や動画，投稿を見ることができる単一のプラットフォームへの依存を生み，ユーザーを中毒にした。スマートフォンというツールは，理論的にはいつでも誰にでも，普遍的にコンテンツを配信することを可能にし，この成果の起爆剤となったのである。しかし，グーグルとは異なり，フェイスブックは効率的なアプリの集合体をつくったわけではない。代わりに，社会的生活のための一元化された場所を提供することを選んだのだ。そうすることで，オンライン世界を公共の空間，公園，広場として，人々がデジタル的に集まり，遠く離れた企業でなく自分たちが力をもつ方法でコミュニティを構築するという民主的なビジョンから遠ざかってしまったのだ。その結果，フェイスブックはさまざまな形での監視，そして最終的には偽の情報を許容する空間となってしまった。

訓練を受けたエンジニア，データサイエンティスト，インターネットの研究者としての私の個人的な経験と視点からは，マクナミーが主張するように，フェイスブックの意図が社会病質者的なものであると結論づけるのは難しいと思う。しかし，何人かのフェイスブックの幹部が，同社のビジネス慣行への軽蔑を公言している。たとえば，ユーザー拡大担当の副社長だったチャマス・パリハピティヤは，スタンフォード・ビジネススクールで聴衆に向けてこう語った。「私たちは，社会が機能する仕組みの織物を引き裂くようなツールをつくってしまった。私たちがつくった短期的なドーパミン駆動型のフィードバックのループは，社会の仕組みを破壊する……。あなたは気づいていないが，あなたはプログラムされている」。

フェイスブックの初代社長ショーン・パーカー（ナップスターの共同創設者としてテクノロジーの業界で尊敬されている）は，フェイスブックがそのプラットフォームを設計し，更新する際に行った設計の選択の背後にある動機を明らかにした。ニュースサイト・アクシオスで公開されたインタビューでパーカーは，フェイスブックと同社が所有しているインスタグラムは常にその目的を磨いていたが，その目的には一つとして利他的なものがなかったことを，次の質問をすることで認めた。「いかにして（ユーザーの）時間と注目を可能な限り多く消費するか？」「人間の心理の弱さを利用していた」とパーカーは認めている。たとえば「発明家やクリエーターたち――私やマーク（・ザッカーバーグ），インスタグラムのケビン・シストロムのような連中のことだが――は皆このことをはっきり理解していたし，実際にやってしまったわけだ」。

フェイスブックがユーザーの注目を引きつけ，その中毒を悪化させるという決定を下したことは，同社が両方の目的を達成するために破壊的で憎悪に満ちたコンテンツを発信していることから，より一層不穏なものとなっている。選挙や銃乱射事件，ネオナチのデモなどの際に，フェイクニュースや陰謀論のコンテンツが，フェイスブックのプラットフォーム上でどれほど拡散されているかはよく知られている。これらの決定を下した「功績」が帰せられるのはいわゆる知的アルゴリズムであって，人間ではない。マクナミーによると，フェイスブックは「人々をフィルターバブル*のなかにとどめておきたいのであれば，……しばらくの間は事故に遭った自動車を見せておくことができる。しかしそれがもう気を引きつけられなくなったあとは，それよりももっと悲劇的なものを見せなければならない」ことに気づいたという。

意思決定にアルゴリズムが使われているのは，現在，月間ユーザー数が15億人を超えるグーグル傘下の動画共有プラットフォーム「YouTube」も同じだ。2018年2月，ジャーナリストのポール・ルイスはガーディアン紙でのレポートで，YouTubeのおすすめ機能のアルゴリズムが，争いの種になる動画や陰謀論のビデオを「次の動画」のサムネイルとして積極的に表示することで，ユーザーをサイトにとどめようとしていると主張した。

彼の主張を証明するために，ルイスはブラウザの閲覧履歴を消去し，クッキーを削除し，プライベートブラウザを開いて，彼に対するYouTubeのおすすめが過去のパーソナライズされた選択に基づくものではなく，人工知能を搭載したシステムが彼の注目を引き続けるために選択したものであることを確認した。そうすると表示された「次の動画」の選択は不安にさせるようなものだった。より多くのフェイクニュースのビデオ，拡散されている陰謀論。不気味で憎悪に満ちた暴力的な動画――そのなかにはYouTubeに専用チャンネルをもつ幼児向けのテレビアニメのキャラクター「ペッパピッグ」に関連した動画もあった。ルイスは，YouTubeのおすすめアルゴリズムは，ヒステリーやセンセーショナリズムに価値を置き，支持していると結論づけている。YouTubeでは「フィクションが現実をしのいでいる」。

動画制作者とプラットフォームを保有する企業は「ウィンウィン」の関係にあるという意見を聞くことがある。ユーザーが動画を見てプラットフォームにとどまれば，その関係は共生関係といえる。これは，YouTubeやほかのソーシャルメディアのプラットフォームが民主化に多大な貢献をしているというよくある誤解を助長する。政治に関するYouTubeの自己宣伝も同様だ。2008年のアメリカ大統領選挙の前には，バラク・オバマとジョン・マケインの間で行われた大統領討論会の（CNNとの）共同主催者としての役割を自賛し，「障壁を下げ……，政治的プロセスに参加することができるようにし，政治的議論のためのプラットフォームを平等にする」と主張していた。

「ウィンウィン」の物語から抜け落ちているのは，残りの者，つまりユーザーのことだ。私たちがこれらのプラットフォームに中毒になってしまい（その証拠は増えてきている），私たちは彼らのおすすめに屈し，注目が搾取されることを許してしまうのだ。その結果，何十億人ものユーザーが操作と偽情報の貯蔵庫にはまり，マクナミーの言葉を借りれば，「明らかに真実ではないことを信じている……。しかし，（これらのユーザー）にそれをわからせることはできない……。彼らはまるで別々のカルトの一部のようだ」。

---

* ユーザーが好ましいと思う情報ばかりが選択的に提示されること。

この壁を打破するために，マクナミーと元グーグル社員でデザイン倫理学者のトリスタン・ハリスは，人道的テクノロジーセンターを設立した。同センターはハイテククリエーターの集団で，研究対象は設立者たちが今日のテクノロジーの最も深刻な問題と考えること，つまり一つは若者による常習的な利用，もう一つは選挙や政治に影響を与える可能性だ。マクナミーは,同センターがいかに「稲妻を瓶のなかに」をつかまえるような不可能に近いことを実現しているかについて，私に話してくれた。同センターは幅広いジャーナリストからの注目を集め，アメリカや海外のユーザーに巨大テクノロジー企業に支配を委ねることの危険性を警告している。しかし，同センターは，私たちが直面する最も差し迫った問題，つまり私たちの生活が見えない形で捕らえられ，コントロールされ，操られているという問題には，まだ取り組んでいない。

巨大なロビー活動の力について話しているか，蓄積された富について話しているかにかかわらず，時価総額が急上昇し続ける限り，大きな変化は期待できないとマクナミーは説明する。株主への説明責任は，上場企業の要だ。注目やデータをコントロールするという現在の秘密主義的なモデルが，フェイスブックやグーグルのような企業にとってうまく機能し続けているのであれば，彼らはほとんど行動を起こさない可能性が高いと彼は主張している。

マクナミーは，テクノロジーはビジネスを通してのみ評価されるべきだという考え方を,「想像しうる限り最も見かけ倒しのでたらめ」と呼んでいる。しかし，何十億もの人々の手に渡るテクノロジーを生み出しているのは民間企業のメンバーであるため，最終的に商業的な評価にとって重要なのは株主間取引だ。一方で，私たちユーザーは，データや注目がパイプを通ってこの仕組み全体の燃料となっている。対等な市民として貢献できるような，意味のある声や価値やビジョンをもたない，ただ焼き尽くされるのを待っている資源に変えられてしまっているのだ。

データの収集

マクナミーは，フェイスブックやグーグルは強く批判するが，アップルのモデルはより伝統的であるとして擁護する。「彼らははるかに優れた製品をつくり，はるかに高い利益を得た……。人々はそれを愛している」。しかし彼は，アップルの製品やサービスも中毒性があることを認めている。ユーザーはノートパソコンや携帯電話だけでなく，iTunesストアに依存している。iTunesストアはユーザーが消費するポッドキャスト，音楽，動画のための1カ所に集中されたデータ収集の出入り口として機能する。マクナミーが違いを見出すのはこの点だ。アップルにとって人間は商品ではなく顧客だ。アップルのデータとプライバシーに関する政策は略奪性が少ないと彼は考えている。

マクナミーのアップルに対する評価に欠けているものは何だろうか。いくつかの問題があるが，その一つはアップルの計画的陳腐化へのアプローチ，つまり一定期間後に死ぬことを意図した高価なデバイスを設計していることだ。アップルはまた，中国のような国で労働搾取工場を使ってきたことなど，環境と労働について悪い前歴がある。さらに，アップルは，デバイスが完全に機能するようにするために，高価な「新しい」周辺装置（iPhoneにしか対応していない充電器やケーブルなど）を購入させることで，消費者から搾取してきた。

音楽ビジネスでは，アップルの独占への野望が実際に行動に移されている。競合するスポティファイ（Spotify）のジョナサン・プリンスは指摘する。「アップルは長い間，音楽の競争をつぶすためにiOSをコントロールしてきた。競合他社の価格を押し上げ，私たちが顧客に低価格の商品について伝えることを不適切にも禁止し，ロック画面からSiriまですべてを使って，そのプラットフォーム全体で自分自身に不公平な優位性を与える。アップルは，アップルミュージックのサブスクリプションよりもスポティファイのサブスクリプションで多くの利益を上げている。そしてその利益を音楽業界と共有しようとしない。おかしいと思わないか。彼らは自分たちのケーキがあるのに，ほかのみんなのも食べたいんだ」。

このように，それぞれ異なるが関連した方法で，巨大ハイテク企業がどのようにして優位性を獲得してきたかを見ることができる。フェイスブックは注目とデータを乗っ取る。グーグルは，連動してデータを収集する製品やサービス群を使うよう私たちに強要することで，分散化されていたはずのインターネットを中央集権化している。アップルは，新製品や周辺装置，そしてデータを収集する中央集権型メディアコンテンツサービスの独自バージョンに私たちを強制的に依存させる。アマゾンは，ビットと原子（デジタルと現実）の間で垂直的に統合し，私たちのデータを取り込み，私たちを彼らのメディアネットワークやサービスに押し込み，小売商品や食料品の流通と消費のためにサービスを中央集権化する。

アマゾンとグーグルは，アマゾン・エコーとグーグルホーム・ミニで私たちの家庭に進出した。これらのデバイスは，位置情報や好きなブランド，その他の個人情報を私たちから聞き出している。これらやその他の企業は監視ビジネスに参入しており，私たちのことを知れば知るほど，私たちの行動に影響を与え，より多くの製品やサービスを販売することができるようになっている。

フェイスブックは，アカウントをもってすらいない人を含め，オンラインになっていないユーザーを追跡している。同社は現在，新興企業のSix4Threeがカリフォルニア州で起こした訴訟の被告となっている。Six4Threeはフェイスブックがアカウントをもつ人々の非ユーザーの友人に関する情報を収集し，テキストメッセージを読み取ったり，位置情報を追跡したり，携帯電話内の写真にアクセスしたりしていたと主張している。しかもフェイスブックのアプリをインストールしていなくてもそうしていたというのだ。

グーグルは，ユーザーからも非ユーザーからもデータをため込むことで知られており，多くの個性的なアプリの取得と開発に秀でているため，知らず知らずのうちにデータを提供しないことは難しくなっている。同社のグーグルX部門は，思考実験として，ユーザーのデバイスが収集したすべてのデータを「台帳」として整理して提示し，「情報の束としてほかのユーザーに渡すことができるようにし，社会をよりよくする」ことを検討している。

マイクロソフトやアップルは顔認識ソフトウェアの実験を行っており，このテクノロジーは，警察活動や求職者の審査のためにさらに積極的に販売される可能性があることを示唆する。アップルは，私たちについて収集した位置情報を第三者と共有しないと主張しているが，顔認識や網膜スキャンはiPhone Xにも使用され，アップルの最新テクノロジーとして絶賛される機能となっている。

アマゾンは，政府による監視にも採用できるAIシステム「レコグニション（Rekognition）」を開発した。アメリカ自由人権協会（ACLU）北カリフォルニア支部が2018年5月に発表した報告書によると，このシステムは「リアルタイムで人を識別，追跡，分析し，1枚の画像のなかで最大100人までの人を認識できる……。システムは数千万人の顔が登録されているデータベースと照合して収集した（情報をスキャン）できるという」。レコグニションはすでにアメリカのいくつかの都市や州で利用されている。しかし2019年1月，MIT（マサチューセッツ工科大学）メディアラボの研究結果は，アマゾンとその監視システムを普及させようとする努力が後退する可能性を示唆した。レコグニションは「女性を19%の割合で男性と誤認識していた……。そして，肌の色が濃い女性を31%の割合で男性と誤認していた」。

顔認識が警察のボディーカメラと組み合わされることで，抗議デモや弱い立場の移民などをリアルタイムで監視できるようになることを想像してみてほしい。警察官のボディーカメラが見たものはすべて身元が特定され，追跡され，記録され，悪用されるようになる可能性がある。これらのテクノロジーは，法執行機関やほかの政府機関によって密かに使用されている。「公共の場で匿名で，自由に話したり好きなことをしたりすることができる」ことを含む，私たちの市民的自由を守ることがより強く求められている。

第５章　目に見えない解決策

今日，私たちはオンライン上のおとり商法に直面している。民間企業は一般的に自社のテクノロジーを開発し，ソリューションとして売り込んでいるが，私たちの根拠のない信頼と依存心の高まりをもとに，より大きな企業利益を得ようとしている。エフゲニー・モロゾフは，彼の２冊目の著書『すべてを救うには，ここをクリックしてください』で，「シリコンバレーが追求するのは私たち全員にデジタルの拘束服を着せることだ。効率性，透明性，信頼性，完全性を促進し，その延長線上で摩擦，不透明性，曖昧さ，不完全性を排除することを目指しているのだ」と書いている。

モロゾフは，犯罪取り締まり，健康状態の把握，政治などを評価するためにつくられたシステムを検証しながら，すべての問題はテクノロジーによって解決できるという「解決主義」の神話を暴露する。解決主義とは，テクノロジーの設計，開発，流通を支配する民間企業が，いかにユーザーの生活と断絶しているかを説明するのに適した言葉だ。企業は熟考，討論，議論，解釈よりもクラウドソーシングによる意見を重視しており，私たちの生活を定量化と技術的な「修正」によって管理できると信じている。結果的に，世界中の多様な知識の伝統を無視している。

モロゾフは，企業の技術者や幹部は公の選挙で選ばれたわけではないと指摘する。彼らのほとんどはかろうじて公に知られているだけなのに，大きな力を蓄えている，とモロゾフは言う。「グーグルは永遠に存在するだろう。民主的な説明責任はもう流行しない。グーグルについての情報公開請求をすることはできない。私たちは，これまで築いてきたすべてのチェック・アンド・バランスを放棄しているのだ」と彼は言い，私たちの公職者のあり方を正そうとする。私たちは，代わりに「これらのよりクリーンで，よりきちんとしていて，より効率的な技術的解決策を選択している。不完全さは民主主義の代償なのかもしれない」。

では，この状況は法的に見てどうなのだろうか。市場の独占とテクノロジー産業の専門家であるティム・ウーは，どんなウェブサイトやコンテンツにも等しくアクセスできるインターネットを表現するために，「ネット中立性」という言葉を生み出した人物である。

ウーの著書は2冊あり，世間の注目を集めている。1冊目の『マスター・スイッチ』(2012年飛鳥新社)は，ウーが「サイクル」と呼ぶものを説明している。「誰かの趣味から誰かの産業へ，応急の仕掛けから洗練された驚異の生産体制へ，自由にアクセスできるチャンネルから，単一の企業や企業連合によって厳密に管理されたチャンネルへ，開かれたシステムから閉じられたシステムへ」というテクノロジーの変容のことだ。

今日の支配的なテクノロジー企業は，どのようにして現状に至ったのだろうか。ウーの2冊目の著書『注目を売買する商人　私たちの頭のなかに入るための大競争(原題：*The Attention Merchants: The Epic Scramble to Get Inside Our Heads*)』(2017年，未邦訳)には，答えが一言「注目」と書かれている。

広告の販売から影響力の購入まで，注目は，ハイテク企業が私たちの個人データの多くを収集することを可能にしている今日の流通品だ。私たちの注目を支配する力をもつことで，企業（またはそのテクノロジー）は私たちの心とお金が流れる先を決めることができるようになり，最終的には私たちが情報を求めて訪れる場所，社交の場，売買の場を妨害してしまうのだ。

私たちが何に注目（消費）するかのコントロールは，今や少数者の手に委ねられている。では，ウーが『マスター・スイッチ』のなかで記述している，開かれたシステムから閉じられた中央集権型システムへのテクノロジーの変容はどこまで進んでいるのだろうか。この状況は，1950年代の自動車製造業でゼネラルモーターズがそうであったように，かつてそれぞれの業界で王座を占めていた大企業が享受していた名声に似ている。2018年の初めに彼と話をしたとき，ウーはこう説明した。過去にはそのような企業は「世界で最良のものとして扱われていた……。しかし，1970年代になると，『なんてことだ，あれは一体何だったんだ』という感じになっていた。それは麻薬のようなもので，上昇していく途中では『うー，これはワイルドだ』という感じになるが，そのあとで二日酔いみたいになる。中央集権化やハイテク企業も同じだ。今私たちが感じているのが二日酔いの部分だ」。

そしてウーは，テクノロジー産業の主要プレーヤーの代わりに，「一体何のためなのか」と問いかけている。

『マスター・スイッチ』でのウーの議論に戻るが，私たちの会話は重要な点を強調している。プラットフォームをどうつくるかを考えるうえで，物を買ったり，楽しんだりすることを可能な限り簡単にするような技術的・商業的なシステムを構築するのではなく，ユーザーや社会とその福利を考慮した，経済的に持続可能な代替案を認識する必要がある。私たちは，自らを「隷属や怠惰の状態」に追い込むのではなく，「人間の生活を有意義なものにする」ことを支援するテクノロジーを設計することができる。

ウーは，オープン・ソサエティー財団の創設者であり，開かれた民主的なメディアを長年提唱してきた億万長者ジョージ・ソロスとこの立場を共有する。ソロスは2018年1月に世界経済フォーラムで行ったスピーチのなかで，ソーシャルメディア企業が特に思春期の若者の間で，依存症をつくり出しているという批判を繰り返した。彼はハイテク企業を，人々をギャンブルに誘うカジノに例えた。「すべてのお金を使い果たし，彼らがもっていないお金でさえも賭けてしまう」。

> デジタル時代の人間の注意力には，非常に有害で，おそらく取り返しのつかないことが起こっている。単なる気晴らしや中毒ではなく，ソーシャルメディア企業は人々が自律性を放棄するように誘導する。人々の注目を形づくる力は，ますます少数の企業の手に集中している。ジョン・スチュアート・ミルが「精神の自由」と呼んだものを主張し，守るためには真の努力が必要だ。精神の自由が一度失われてしまうと，デジタル時代に育った人がそれを取り戻すのは難しい可能性がある。

今日のテクノロジーに無分別に屈することで，人間としての多様な価値観を失ってはならない。このことをより強く感じさせるのは，新しいテクノロジーの創造者たちが，人間が死すべき定めにあるという問題を指摘し，人間に疑念を抱くようになってきていることだ。このような疑念は，死を悲劇として，私たちの身体を限界として捉えている。それは，ほかの惑星の植民地化，世界滅亡後のシェルター，機械と私たちの体の融合，私たちの意識の機械へのダウンロードといった逃避に固執する。しかしそこに欠落しているのは，今ここにあるもの，そして「ありのままの私たちの世界をどのように支え，癒やすか」という重大な問題に対する関心だ。

人間の能力への疑問の表明が無視しているのは，私たちの種を構成してきた文化，言語，知識を獲得する方法，生態系や物質的な関係に根ざした価値観が常に多様であったことだ。人間の意識をデジタルの形で標準化し，翻訳し，制御しようとすることは，驚くべき技術的「偉業」だが，おそらく不可能だ。さらに重要なのは，技術的超越を称える祭壇のうえで，人間のさまざまな欲求を無視することである。しかしそれこそが人間の概念そのものなのだ。技術者のなかには「人類後の世界」について熱狂的に書いている人もいる（レイ・カーツワイルやシンギュラリティのことを考えてほしい）。彼らは人間中心主義そのものに疑問を投げかけている。しかし私たちは自問しなければならない。何十億人もの人々と彼らが属するコミュニティを，同意なしに，また彼らが表明した価値観に反して，人類後の世界に引きずり込むことは倫理的に問題がないのだろうか。これが私たちの望む未来の始め方なのだろうか？

テクノロジーが仕える主人が一人である必要はない。私たちの世界の何十億もの人々の豊かで多様なものが混在した集合体には，耳を傾ける価値のある希望と夢がある。私たちには，金，権力，利己主義の神々に捧げられた唯一の神殿に仕えるだけのテクノロジーをもつ余裕はない。

多様性と断絶

ここまで，私たちの生活を規定するテクノロジーを設計して利益を得ている企業と，その企業のオフィスや研究所の外の世界との間の断絶を描いてきた。内側の断絶についてはまだ触れていない。強大なテクノロジー企業内の事業部門や技術部門が，自分たちがテクノロジーを届けようとする多様な世界を反映していないのだ。

私がこの懸念を知ったのは，企業の外から取材するジャーナリストや，マクナミーのような幻滅した元投資家からではなく，業界の内部のエンジニアであるトレイシー・チョウからだった。

チョウはスタンフォード大学出身のエンジニアで，2017年，29歳のときにMITテクノロジーレビューの表紙を飾った。この号のテーマは「将来を見通す者たち」を祝福するものだった。「35歳以下の35人のイノベーター」。チョウに関する記事のタイトルがすべてを物語っている。「ハイテク業界の多様性が低いことを示す数字を公開」。

フェイスブックのCOOであるシェリル・サンドバーグは，テクノロジー業界における女性の数について懸念を表明していた。このことにヒントを得て，チョウとほかの女性たちは，プロジェクト「インクルード*」を立ち上げ，シリコンバレー企業の労働力の多様性確保を目指した。チョウはウェブサイト「ミディアム」に「数字はどこにあるのか」と題した投稿を書き，多様性に関するデータを企業に要求した。その結果，チョウたちは100社以上の企業から統計を収集し，テクノロジー関係者のうち女性が占める割合は20%未満であり，業界内の役員ではさらに少ないことを明らかにした。

チョウとはメキシコ中部の歴史ある街グアナファトで出会った。私たちは，ラテンアメリカのテクノロジー，科学，未来をテーマにしたユネスコの会議で講演者だった。彼女はスピーチのなかで，欧米のハイテク企業が数十億人に向けて輸出しているテクノロジーには，これらの企業内のバイアスが反映されているのではないかとの懸念を述べた。チョウの主張では，テクノロジー企業内で最も影響力のある技術職や管理職に女性やアジア系以外のマイノリティがいないことは，テクノロジーの設計方法や，知識を得る対象のデータの集合，そして世界中での応用方法に影響を与える。その結果，誤った表現，バイアス，さらには差別さえもが常態化してしまうのだ。テクノロジーそのものを単純に分析することはできないが，その代わりに，そのテクノロジーの生産チェーンと，何十億人もの人々に与える潜在的な影響を考慮しなければならないと，彼女は述べている。

チョウの懸念に対処することが重要な理由は，二つの要素から伝わってくる。第一に，一カ所で生産されたテクノロジーが数十億人に拡大された場合，ネットワーク効果によってその威力が増幅される。ユーザーが増えればサービスの価値が上がるからだ。第二に，ナイロビ（ケニア），ケープタウン（南アフリカ），バンガロール（インド），オークランド（ニュージーランド）などの都市にテクノロジーの活発な地域が誕生している。シリコンバレーの驚異的な経済的成功は，これらの新しい培養地に刺激を与えている。これらの都市もシリコンバレーに倣って，多様性の問題を無視したり，排除したりする可能性がある。

このように，テクノロジー企業内での多様性を高めるという比較的単純な問題は，より広範囲で顕著な結果をもたらす。ネットワーク化されたテクノロジーが私たちの生活にさらに浸透し，オンラインとオフラインの時間，訪れる場所，交流するものとの境界が曖昧になるにつれ，私たちは偏見に基づいて構築されたシステムを「自然化」させてしまう危険性にさらされている。

チョウとの議論で，科学やテクノロジーの分野で優秀だと認められることや，これらの分野で活躍するために必要とされるスキルセットが，女性には向いていないとみなす偏見があることを認識した。ハイテク業界に女性がいないことを問題として認める代わりに，現状維持を正当化しようとする動きが増えている。

グーグルは，社員の一人が書いた多様性に反対する文書が社内で拡散し，最終的にはマスコミにリークされたことで，企業イメージの大きな危

＊インクルージョンは，企業や社会のなかで排除される者がない状態を目指すこと。

機に直面した。「グーグルのイデオロギー的エコーチェンバー*」と題するこの文書は，ハイテク業界に女性がいないのは，文化的，社会的に説明できるものではなく，生物学的理由による可能性があると主張していた。また，グーグルは，現在人数の少ないマイノリティを採用したり，支援したりするプログラムを提供すべきではないとも述べている。主要なニュースソースに掲載された複数の記事から，この意見は社内で共有されていた可能性が高い。実際，グーグルは女性の雇用率の低さ（20%未満）や賃金格差をめぐって労働省と論争になっている。

このグーグルの文書を書いたジェームズ・ダモアは，最終的に会社から解雇された。しかし，彼の見解は決して特殊なわけではない。元ハーバード大学学長であり，オバマ政権やクリントン政権の閣僚でもあったローレンス・サマーズは，2005年の経済学の会議での講演で，科学分野において女性が少ないのは，男女間の「生得的に」異なった機能によるものであり，女性が適性を欠いていることを反映していると主張した。

多くの研究でこのような主張に反論してきたが，工学や科学において性別により人数の多寡があることの議論では，「生得か育成か」の対立が続いている。ここで欠落しているのは倫理的な問題だ。デジタルテクノロジーがますます私たちすべての生活の一部となっていることを考えると，なぜ世界の人口の約半数が，デジタルテクノロジーが開発・設計されるプロセスに参加してはいけないのだろうか。

この問題はより緊急性を増している。自動化された「知的な」システムが開発され，多くの既存の仕事を脅かし，職場での男女間の格差をさらに広げることになるからだ。実際，2018年1月に世界経済フォーラムが発表した報告書は，現在，脅威にさらされている職業の60%近くを女性が占めていると警告した。チョウによると，知的なAIシステムを構築し，私たちの世界に出す際には，これらの偏向は特に見えにくくなる可能性があるという。「私たちは，完全に理解していない。……（テクノロジー）のモデル自体の設計も，システムがどう使われるかも，モデルがどう訓練されるかも，データの集合の偏りも」。

チョウはまた，ハイテクビジネスに関しては，資金の流れを追う必要があるともいう。シリコンバレーの資金調達のかなりの量が白人男性の率いる機関からのものであることを考えると，女性やマイノリティはアウトサイダー的立場に置かれていることになる。その結果，「すべての権力は依然として同じ（グループ）内にとどまる」。投資家が何者であるかは，どのようなビジネスを支援し，どのようなテクノロジーを生み出すかに影響を与えることになる。「どれだけ（テクノロジー起業家が）投資家たちに彼ら自身のことを思い出させるか……それは文化的にも社会的にも『適合しない』人には悪い作用を生むことになる」。

ハイテク産業は，誰を雇うか，どのようなテクノロジーを生み出すかを決定すると同時に，政治システム，中小企業，警察や監視システムなど，ほかの生態系を形成していく。彼らが構築するシステムがより「知的」になるにつれ，開発者の偏見だけでなく，学ぶ対象である不平等な世界の現実も身につけるようになる。

チョウは，受動的なインクルージョンは解決ではないという。白人男性のCEOや投資家の事業計画を満たす製品やサービスを構築するために，黒人，褐色人種，性的少数者，障害者をただ増やすだけでは十分ではない。彼女は，世界の多様な地域にいる顧客やユーザーのニーズや声がシステムの設計や開発を動かせるような，より分散型のテクノロジー産業を想像するように私たちに挑戦している。たとえば，フェミニズムは，女性をより

---

* 音がよく反射する部屋のなかで声を出したときのように，SNSなど閉鎖的空間内で同じ意見をもった者同士がコミュニケーションを繰り返すことによって，特定の信念が強化される状況。

多く雇用するためのノルマに基づいたアプローチとしてではなく，違いを認め，文化，経済，ジェンダー，世代の多様性を強みとして捉えることによって導かれる，テクノロジーの創造と設計の新しい方法として構想されるだろう。

第 2 部

政治データゲーム

標的にされ, 操作され, 動機を与えられる

第6章　すばらしいデジタル新世界

1958年，ジャーナリストのマイク・ウォレスが『すばらしい新世界』で知られるイギリスの作家オルダス・ハクスリーにインタビューした。1932年に出版されたこのディストピアSF小説は，架空の未来の世界国家の社会を舞台にしている。そこでは人間は工場で生産され，知能や身体的な資質に基づいて異なる階級に割り当てられている。

これまでの章では，強力なハイテク企業がデジタルの工場のように活動していることを示してきた。ハイテク企業は，私たちがオンライン上に残した足跡からデータを追跡し，収集し，保存する。さらにそのデータを使って私たちの個人プロファイルが作成・更新されると，たとえば，警察システムが私たちを疑いの目で見るか，あるいは，持病がある場合に医療給付を受けられるかが決定される。しかし，私たちは，収集されたデータを見ることはできないし，もちろん修正することもできない。

ウォレスのインタビューでハクスリーは，現在と未来を見据えて，民主主義への脅威について語った。政治的，社会的不平等に焦点を当てるのではなく，彼は私たちが毎日喜んで使用しているテクノロジー，特にテレビのように，私たちの注目をそらす可能性をもっているものを指弾した。「私たちは，自身の進歩したテクノロジーに驚かされてはならない」と彼は言う。

ハクスリーは，権力を維持するためには「被治者の同意」を得なければならないと強調した。そして，そのような同意を得るために必要なのは，「人間の合理的な側面を回避して，潜在意識や心の奥にある感情，さらには生理的なものに訴え……実際に奴隷状態を愛するようにさせる」ことのできる「プロパガンダの新しい技術」だという。

今日では，政治的なものも含めて，私たちの合理的選択をする能力はこれまで以上に危うくなっている。私たちのほとんどが信じているのは，ハイテク企業が私たちについての何百ものデータを毎日集めているのは，伝統的な「パーソナライズされた」広告を提供するためだということだ。私たちの多くはそれに同意しており，石鹸（せっけん）や車のような商品を販売したり，新しい音楽や映画，テレビ番組を薦めたりするためにデータが収集されることを気にしていない。企業が私たちのデータを使って，政治的なアジェンダ[*1]や政治家を売り込むために利用していることに気づいている人はもっと少ない。そのなかでプロパガンダや偽情報，私たちの弱点や欠点を突くように仕立てて意図的に誤解を招くような情報が広められている。あるブランド（ダンキンドーナツ）から別のブランド（たとえばスターバックス）へと乗り換えるよう誘惑される，それと同じようなプロセスによって我々の民主主義が乗っ取られることに私たちは同意してはいない。

このようにして私たちは，不透明なアルゴリズムで個人データを管理するデジタルテクノロジーによって分極化されてしまった。アルゴリズムはそれをつくる企業のために広告収入を何十億ドルも稼ぎ，同時に人間中心のテクノロジーという基本的価値に反した働き方をしている。分極化は，私たちの民主主義的な機能に対するコントロールを特に弱体化させる。機械や企業ではなく，人々が，自分たちの政治的な生活に対する権力をもつべきなのだ。

もし目に見えるものをすでに信じることができないのであれば，あるいはむしろ目に見えるものによって操られるのであれば，私たちは個人の精神と民主主義への希望を脅かす力を理解し，それに立ち向かい，克服することを学ばなければならない。実際，人間やボット*2，マイクロターゲティング・アルゴリズムのすべてが，今日，事実や多様なものの見方，そして目にする情報の背後にあるものから私たちを隔離する役割を果たしている。ハクスリーが1958年に言ったように「民主主義の手続き全体は……合理的な根拠のうえで行われる意識的な選択に基づいている」。

民主主義もまた,公的な議論の存在に依存している。民主主義の前提は,公的な議論の場が公平であることだ。社会経済的な違いがあっても，経験や価値観，各自の最善の判断を基に投票する機会は平等に与えられるべきだ。市民として,私たちは異なる政治的見解をもっているかもしれないが,私たちの見解を知らせる機会は，アクセス可能で皆が理解できるものであるべきだ。

透明性は民主主義システムの中心であり，情報を平等にもてるかどうかにかかっている。そしてその情報は，監視やデータの追跡や収集に基づいて私たちに「提案」された情報であってはならない。しかしテクノロジーの巨人たちは皆，何百もの隠れた方法でこれらの慣行を浸透させている。いつも疑いの目を向けられるフェイスブックやグーグルだけではない。偏りのない分析と報告を提供してくれるはずのオンラインの新聞，たとえば監視の問題を論じている『ガーディアン（*The Guardian*）』紙さえも，フェイスブックやグーグルが使用しているものと同様のデータ追跡ソフトを使用

*1 行動計画・課題。　*2 自動化された作業を行うプログラム。

している。

今日における透明性と呼べるものは何であれ，一方的なもののようだ。ハイテク企業は私たちのことを何でも知っているが，私たちはハイテク企業のことをほとんど知らない。では，彼らが私たちに提供している情報が，資金調達の方法やニュース企業内の政治が原因で歪曲されたり，捏造されたりしていないことをどうやって確認できるのだろうか？　データの漏洩は毎日のように起こることかもしれないが，政府によるスパイ行為を知った市民の情報がそこに含まれることはどれほど頻繁にあるだろうか？2013年に内部告発者のエドワード・スノーデンがしたような暴露を知ることがどれだけ少ないかを考えてみてほしい。

巨大なハイテク企業，特にフェイスブックとグーグルは，世界中の人々の政治生活に大きな役割を果たしている。マーク・ザッカーバーグは，自分でボタンを押して，ドナルド・トランプやヒラリー・クリントンの支持者に誰に投票するかを指示することができる。誰にも知られることなく30万票以上の票を動かすことができるのだ。対立の激しい選挙の均衡状態を崩すには十分であり，グーグルの影響力はさらに大きいかもしれない。

これらの企業は，一般の人々が自社のプラットフォームを利用することで利益を得ているが，自らの政治的な影響について公にする責任があると認識しているのかどうかは不明である。フェイスブックは世界中に20億人以上のユーザーがいるが，グローバルガバナンスチームで働いている従業員はわずか２ダースだ（オフレコで話を聞いた数人の元従業員による）。ソーシャルな交流をしたり，ニュースを読んだりするような公共の場を提供して利益を得ることと，公共に対して説明責任を負うのとはまったく別のことだ。フェイスブックがユーザーや民主主義の原則に対して説明責任を果たしているかどうかは，好意的に見たとしても疑問の余地がある。

政治とメディア：バーチャルリアリティ？

1958年のテレビ出演時，ハクスリーは「自由の敵」と題した一連のエッセイを書き終えたばかりだった。インタビューの冒頭，ウォレスはハクスリーに，敵と呼んでいるのは何か，あるいは誰かを明確にするように求めた。ハクスリーは単独の邪悪な個人の名前を挙げることはせず，その代わりに「非人間的な力が……ますます自由が少なくなる方向へと推し進めている」と話した。彼は，「技術的な装置」が「支配の押しつけ」のプロセスを加速させるために使われる可能性があると示唆した。今日，私たちはしばしばこれらの非人間的な力を「悪しき行為者」と呼んでいる。第7章でそのいくつかについて論じることにするが，たとえば，現在は廃業したケンブリッジ・アナリティカや，2016年のアメリカ大統領選挙に干渉するために法的・倫理的限度を超えたと非難されているロシア政府などがそうだ。

どのようにして，メディアとテクノロジーの生産と用途が変化し，支配を押しつけ，結果として民主主義を脅かすようになったのだろうか？　その答えを得るために，2008年大統領選でバラク・オバマを既存政治へのアウトサイダーとしてうまく押し出したチーフストラテジスト，デビッド・アクセルロッドにインタビューした。アクセルロッドは現在，政治アナリストであり，CNNの司会者でもある。彼が率直に指摘したのは，アメリカや世界の多くの国の政治がバーチャルリアリティと化している点だ。言い換えるならば，インターネットとテレビが一つに収束され，「新たに知らせるというよりも，考えを再確認させるような」視点や情報が視聴者に与えられるようになったということだ。

アクセルロッドによれば，ほんの数十年前までは，アメリカに限らず，存在していた数少ないニュースネットワークは中道に力点を置こうとし，各社が異なるというよりも，はるかに似ているというような形でニュースを報道する傾向にあった。アメリカのこの傾向は，論争の的になったのちに放棄された連邦通信委員会（FCC）の公平原則から引き継がれたもので，1940年代後半，テレビネットワークの主流がABC，CBS，NBCであった時代（現在もこれらのネットワークは残っている）に生まれた。公平性ドクトリンは，論争の的になるようなトピックを，公正でバランスがとれ客観的だとFCCがみなせる方法で提示するよう放送権者に求めていた。

しかし，今日のニュースメディアはブランドとなった。アメリカでは，FOXニュースが語りかけている相手は圧倒的にトランプ政権を含む保守派だ。アクセルロッドはFOXをアメリカ版の「国営テレビ」だという。MSNBCは自らをレジスタンスと位置づけている。世界中で同様の例が見られる。どの番組でも視聴者は，一言も聞かないうちから，自分がどのような視点を提示されるかわかるようになってきている。

インターネットでも状況は変わらない。私たちは自分の立場を補強するようなコンテンツを見たり読んだりするが，それらはすべて，コンテンツを推奨したり個人向けに最適化したりするアルゴリズムに助けられている。

私がとても興味深いと思ったのは，トランプ大統領の逸脱を批判的に捉える傾向があるCNNをアクセルロッドが「中道のネットワーク」と評したことだ。しかし，CNNはしばしば政治的立場が著しく右か左かのどちらかに偏っているものを排除している。中立性はこのように声を消すことを意味するのだろうか。消すことは民主主義にとって健全なのだろうか。トランプやバーニー・サンダースのようなポピュリストかつ「反エスタブリッシュメント」とされる政治家の立場が広く支持され続けていることを考えると，これらの視点の排除は，CNNの認識がずれていることを示しているのではないだろうか？

これらの疑問は，ほかにも厄介なことを思い起こさせる。私たちは，市民として，視聴者として，そしてユーザーとして，偏りのない，客観的なコンテンツに本当に興味をもっているのだろうか？　不偏性などというものは存在するのだろうか？　CNNの政治アナリスト，クリス・クオモについてアクセルロッドと私が長く話したとき，彼はクオモを「立場をとらないジャーナリスト」と表現した。そして「保守派とリベラル派の両方がとる政治的立場に挑戦できるような，強固な中道の市場」などあるのだろうかと疑問を呈した。クオモのテレビ番組『プライムタイム』は2018年6月に始まり，MSNBCのレイチェル・マドーやFOXニュースのショーン・ハニティが司会する党派色の強い人気番組と同じ時間帯に放送された。その枠にクオモを入れたCNNの決定を「自殺行為」と見る向きもあった。ワシントン・タイムズに掲載された2019年1月のニールセン社調査の視聴率によると，クオモの番組は一晩の視聴者数が月間平均で最高の月でも164万人だった。325万人のマドー，304万人のハニティにおくれをとっている。

アクセルロッドと私は次に，ドナルド・トランプとメディアをめぐる論争について考察した。トランプの2016年の選挙は，真実，情報，偽情報に関する疑問や懸念が渦巻いていたが，それはトランプが就任してからも続いた。それでもトランプは，政権に関する主流メディアの「フェイクニュース」報道に挑戦し，嘲笑し続けてきたし，政治的スペクトルの左翼も右翼も主流メディアを批判し続けている。アクセルロッドによれば，大統領は「自分自身に火をつける気があれば，あるいはほかの誰かに火をつける気があれば，どんなニュースのサイクルも支配できる」と気づいたのだ。「人々は大統領のツイッターのフィードを定期的にチェックしている。支持者だけの話ではない」。

党派的なテレビ，オンラインプラットフォーム，あるいはアクセルロッドのいるCNNでも，報道について語っているとき，中心にいるのはトランプだ。彼は，テレビや，ツイッターのようなソーシャルメディアのプラットフォームを介して，ほかのどのアメリカの政治家よりはるかに多く報道され続けている。このやり方はこれまでのところ，政治的基盤を固め，すべての有権者の注目を集め続け，野党を混乱させるために完璧に機能している。

これほど多くの情報が入手可能なメディアとテクノロジー環境のなかで，このような権力の集中はどのようにして生まれたのだろうか。トランプについて議論した際，アクセルロッドは故ダニエル・パトリック・モイニハン上院議員の言葉を引用した。「自分の意見をどうするかの権利はあるが，自分についての事実をどうするかの権利はない」。アクセルロッドは，今日のメディアとテクノロジーの政治的体験を「終わりのないチョコレートケーキの乱痴気騒ぎ」と表現し，インターネットが社会のなかで，また社会と社会の間で，政治的な分裂を生み出していることについて懸念を表明した。

民主主義はゆっくりと動く。私たちの社会とリーダーは，急速に変化するテクノロジーがもたらした，方向感覚が失われた状態をただ食い物にするのではなく，意味のあるものにする必要がある。アクセルロッドによれば，これらのテクノロジーは，「どんどん速くなってきており，多くの不安と多動性を生み出している」。私たちが受け入れたシステムが私たち全員のためになるように，介入するかどうかは私たち次第だ。

課題の一つは，カーテンの向こう側に何があるのか，私たちのメディアやテクノロジーを動かしている市場の論理が何かに目を向けることだろう。ケーブルテレビにしてもインターネットにしても，ほとんどのニュースは民間の営利企業から送られてくる。これらのメディアは金儲けのためにつくられている。企業の利益は，私たちが見たりクリックしたりするものへの中毒と注目を通して取引されているのだ。そして，私たちがそれに継続的にかかわることに依存している。たとえば，CNNが番組を「ニュース速報」という枠にはめ続けていることは，たとえ政治的に中道であったとしても，24時間365日のニュースサイクルの熱狂的なセンセーショナリズムを利用していることを意味しているのかもしれない。アクセルロッドはこの点を認め，結局のところ，目に見えにくい私利私欲が私たちの政治システムを人質にしているのであれば，代替案を見つけなければならないと同意している。もちろん，私たちの社会には営利企業の役割があるが，その役割がほかの99％の価値観や利益を危険にさらすべきではないのだ。

より多くのデータとより多くのチャンネルは より多くの民主主義を意味するのか？

オバマ大統領の背後にいた人物との会話が示すように，より多くのチャンネル，ウェブページ，アプリが市民の注目を集めるために競い合うなかで，世界中のメディア環境は変化している。政治とテクノロジーの研究者であるノースカロライナ大学のダニエル・クライスは，世界は今日，グローバル・サウス*の多くでさえも，1960年代とはまったく違った姿をしていると私に指摘する。アメリカでは，数十年前には，テレビで政治広告を出せば，有権者の90％以上にリーチすることができた。しかし，クライスの最近の著書『プロトタイプ・ポリティクス』では，私たちが大きな変化を目の当たりにしていると指摘している。「データはさらに重要になった。選挙民がどこにいるか，どこに注目しているかを候補者が知り，そこにメッセージを発信するのに役立つからだ」。

世界中のほとんどの市民は，経済的生活のなかでのパーソナライゼーシ

---

*南半球に多い発展途上国。

ョンはもちろん，マイクロターゲティングさえも受け入れているようだ。特定の消費者(または特定の層)にリーチするためにメッセージや広告を分ける手法のようなマーケティング分析は，長い間存在してきた。

では，何が変わったのだろうか？　第一に，ターゲットを絞るためだけでなく，ターゲットが目にする情報を編集するためにも使用されるデータが指数関数的に増加している。情報処理の急激な高速化や記憶装置の価格の低廉化と相まって，この急速な成長は，ある種の流動的な，目に見えないタイプの世界秩序形成を可能にした。第二に，分析とパーソナライゼーションの使用が商業・経済だけでなく，政治的な生活にまで拡大していくのを私たちは見てきた。この拡大が，民主主義の主要な基盤を危うくする可能性がある。個人が強制的な操作を受けずに政治的に参加する能力は，民主主義的選択の中心的な側面であるからだ。

アメリカや世界の多くの国では，伝統的な政党の弱体化とポピュリズムの台頭が見られる。ドナルド・トランプ，フィリピンのロドリゴ・ドゥテルテ，トルコのレジェップ・タイップ・エルドアンのような政治家は，権威主義の特徴に共感を示している(それをあからさまに採用することに共感しているわけではないが)。彼らが権力を握ったのは，特に多くの有権者が既存のエスタブリッシュメントや政治家に裏切られたという感覚を経験しているからだ。ツイッターやフェイスブックのフィードで注目を集めるコンテンツを見世物にして，政治的利益のために利用できるようなテクノロジーとメディアの環境がある。トランプたちのような人物は，そのような環境のなかで成功する能力をもつことで権力を獲得することができる。

インターネット以前にすでに，テレビやそのほかのメディアネットワークが規制緩和され，数チャンネルが数百のチャンネルに取って代わられる衛星テレビの世界に到達していた。市民がニュースを受け取るチャンネル，ネットワーク，ウェブページ，アプリなどの数は想像以上に増えており，私たちはそれぞれ異なる「情報のパイプ」を通じて外部の政治世界を体験している。しかし，このように多様な選択肢があるにもかかわらず，同じ持株会社が異なるチャンネルを所有していることは多い。ディズニーやタイム・ワーナーのような巨大メディア企業はテレビ市場を支配し，より多くの視聴者を巻き込み，より多くの異なった選択肢や番組を提供している。しかし，メディア学者のロバート・マクチェズニーが1998年に警告したように，「メディアの巨人が裕福で強大になればなるほど，参加型民主主義の将来は暗くなる」。

オルダス・ハクスリーは1958年に，自分たち自身の進歩したテクノロジー，そのプロパガンダをあおる手段，民主主義への脅威に驚かされてはならない，と警告している。2015年，マクチェズニーは，テクノロジーがどのように民主主義を支えるかについて，慎重な楽観主義を表明した。「私たちはいくつかの点で初めてインターネットの経験を理解し，それが社会にもたらす最先端の問題を強調できる立場にある……将来のインターネットをいかなるものにするのか，さらには人類が将来どのようになりどのようにならないのか，について社会が下す決定をより深く理解することができる立場に」。この点を説明するために，次章で，オンラインでの政治キャンペーンを形成するうえでのソーシャルメディアの役割を見てみよう。

第7章　ケンブリッジ・アナリティカと世界的な偽情報

私が2009年に初めてフェイスブックを使うようになったとき，ソーシャルネットワークがこれほど巨大になるとは想像もしていなかった。そして，ロシアのハッカーや，2016年の米大統領選挙でドナルド・トランプのために働いた企業であるケンブリッジ・アナリティカのような間接的「パートナー」の活動にかかわるスキャンダルにこのソーシャルメディアの巨人が巻き込まれることになるとも，まったく想像していなかった。

ケンブリッジ・アナリティカは，2013年から2018年まで存在した政治コンサルティング会社だ。データマイニングと分析を組み合わせて選挙プロセスに影響を与えることで評価を得て，たとえば有権者データを取得し，有権者に送る政治的メッセージを戦略的でパーソナライズされ，洗練されたものにするための計量心理学的技術を開発していた。アナリティカの経営陣によると，同社はケニア，ナイジェリア，メキシコ，インド，アルゼンチンなど世界の200以上の政治キャンペーンに関与していた（同社の幹部は，イギリスのEU離脱キャンペーンへの同社の関与を否定している）。アナリティカは，2016年のアメリカ大統領選において予備選の初期にテキサス州出身の共和党候補者，テッド・クルーズ上院議員のために働いていたが，指名獲得に失敗した。しかし，その後アナリティカは本戦でトランプを勝利させ，その余波のなかで露呈した事実を経て，現在の国際的な悪評を獲得したのだ。

ケニアのジュビリー党との関係を概観すれば，ケンブリッジ・アナリティカのやり方と倫理に光を当てることができる。アナリティカが最初に役割を果たしたのは，同党を率いる現大統領ウフル・ケニヤッタが初当選した2013年のケニア大統領選挙だった。選挙中，ケニア特有の深刻な社会的・政治的対立が続き，国全体で暴動が起きた。ジャーナリストのナンジャラ・ニャボラによると，ケンブリッジ・アナリティカは，強力な民族主義的アジェンダをPRの基礎に採用し，自らの利益のためにそのアジェンダを，紛争が多く暴力的なケニアの選挙に埋め込んだ。2017年，ジュビリー党はアナリティカと3カ月間の契約を結び，ケニヤッタの再選のために同社に600万ドルを支払った。アナリティカのマネージングディレクターであるマーク・ターンブルによると，これら二つの選挙キャンペーンの間に，同社はケニア国民の期待と不安に決着をつけるため，「2回にわたって党全体のイメージチェンジをし，マニフェストを書き，5万人対象の調査を2回行った」。「我々はすべての演説を書き，すべてを演出していたので，（ジュビリー党の）選挙キャンペーンのほぼすべての要素（に手を貸していた）といえる」。

アナリティカの起源は，のちのトランプとの関係を予期させるものだった。計算言語学の分野で複数の特許を保有するアメリカの保守派の億万長者ロバート・マーサーと共同でアナリティカを設立したのは，トランプの元首席戦略官スティーブ・バノンだった。ブライトバート・ニュースネットワークの会長でもあったバノンは，アナリティカの副社長を務めていた。

アナリティカは，本章で取り上げるデータ収集スキャンダルのおかげで，2018年5月上旬に業務を停止した。しかし，会社の幹部たちは，非倫理的な行動の告発に対して無実を主張している。廃業の原因は，アメリカの数千万人の有権者からフェイスブックが収集したデータを購入したという疑惑に基づいて，同社の悪評が広められたことだというのだ。

米大統領選のわずか1カ月前の2016年10月に，アナリティカの元CEOアレクサンダー・ニックスは（当時インタビューの予定について私はメールで連絡をとっていた），彼の会社がアメリカの全成人（当時約2億3000万人）について一人4000～5000件のデータを取得していたと公言した。イギリスのシンクタンクDEMOSのソーシャルメディア分析センターでリサーチディレクターを務めるカール・ミラーは，そのデータを，より説得力があり，よりターゲット向けに最適化された政治的メッセージにしてしまう同社の能力に悩まされたという。さらにニックスが，同社の手法を「侵害的」とは考えないと無造作に保証したことに懸念を抱いたともいう。

心理計量モデルとデータマッピング

アナリティカがデータを収集したのは，さまざまな手段や情報源を通じてだった。それらには，データブローカー，消費者のクレジットカード履歴から抽出した情報を購入する企業，あるいはスーパーマーケットの特典プログラムや映画鑑賞の習慣，自動車登録などのデータ収集源が含まれる。このデータは，その後集計されて，市民の「複合」プロファイルが作成される。

アナリティカの成功の秘訣は，収集したデータそのものではなく，データを複雑な心理計量モデルに対応づけすることから生まれた。モデルの一つがOCEANだ。OCEANは経験に対する開放性（O＝openness to experience），良心性（C＝conscientiousness），外向性（E＝

extraversion)，同意性(A＝agreeableness)，神経症的傾向(N＝neuroticism)の五つの要素の組み合わせに基づいて人間の行動を理解するという。

トランプが大統領に就任する頃には，ニックスが選挙前に自慢していた「各個人に極度なまでに対応したターゲティング」についてのニュースが広まっていた。就任式から約2カ月後の2017年3月13日，私はMSNBCを代表する平日のニュース番組「モーニング・ジョー」に出演し，アナリティカについて語った。インタビュー中，ミカ・ブレジンスキーとパネリストに，計量心理学，データ分析，そしてフェイスブックがアナリティカの戦略的メッセージ伝達のプラットフォームとしてどのように使われたかを説明するように求められた。私がアナリティカについて，またアメリカに個人情報保護法制が存在しないことについて論じると，パネリストのほとんどがショックを受けたように見えた。一人のパネリスト，テッド・クルーズ陣営の元広報部長，リック・タイラーを除いて。タイラーは選挙キャンペーンでアナリティカと組んだ経験があったため，有権者をターゲットにしたモデルを構築し，オンラインでの政治的キャンペーンを形成するために計量心理分析を使うことの可能性を十分に認識しているようだった。

なぜフェイスブックが，アナリティカにとって計量心理学の完璧な実験室となったのか。フェイスブックのプラットフォームの背後にある特質は，オンラインでの社交の場としての事実上の役割だけでなく，注意深くつくられた広告と「ニュース記事」で第三者がユーザーをターゲットにできる能力にあるからだ。

だとしても，データをただ所有していれば，心理計量モデルの使用と組み合わせて，選挙結果に直接影響を与えられると仮定することはできない。一部の人は，アナリティカの影響はごくわずかだったと主張している。戦略的メッセージが，誰に投票するか，あるいはそもそも投票をするかという私たちの選択にどのように（そしてどの程度のレベルで）影響を与えるのかは，まだはっきりしないと認める人もいる。しかし，私たちは，政治キャンペーンにおける広範で侵害的なデータの使用を見過ごすことはできない。特に近年はほとんどすべての選挙が，データとインターネットについての物語を背景にもつのだから。

スキャンダルが明るみに

2018年3月，クリストファー・ワイリーという元社員が，ケンブリッジ・アナリティカが，デジタル政治広告のターゲットを絞るためにフェイスブックユーザー5000万人のデータを本人の了解を得ずにマイニングしたと英オブザーバー紙に明らかにした。同社は大きなスキャンダルの真っ只なかに突き落とされ，最終的には廃業に追い込まれた。この論争で最初に表舞台に立ったのは，ケンブリッジ大学で講師を務め，アナリティカに協力していたデータサイエンティストのアレクサンドル・コーガンだった。

コーガンは，「thisisyourdigitallife」と呼ばれる調査アプリでフェイスブックユーザーの個人データを収集した（その後，そのデータをアナリティカに転送した）ことを認めた。彼は，グローバル・サイエンス・リサーチという会社の共同ディレクターをしていたときに，このアプリを独自に開発した。彼が行った調査に参加した何十万人ものユーザーは，学術研究の名の下に報酬を得ていた。彼らは以下の条件に同意することでデータ収集に同意していた。

> このアプリは，ケンブリッジ大学の心理学部門の研究プログラムの一部です。私たちはこのアプリを研究目的に使用しています。人々の心理的特徴，幸福度，健康などをよりよく理解し，社会科学における

> 古典的な問題を克服するために，フェイスブック上の行動がどのように利用できるかを学ぼうとしています。このアプリのユーザーには，私たちが収集するデータの種類とデータの科学的な目的についての説明が提示されます。データは慎重に保護され，決して商業目的では使用されないことをお知らせします。

このアプリは，同意した被験者のデータだけでなく，フェイスブックネットワーク上の友達のデータも了解なく収集し，そのすべてが最終的に膨大なデータプールに蓄積された。データを収集したユーザーの数は推計では8700万人で，当初の推計5000万人を大きく超える。

さらに混乱を助長したのが，ユーザーが定められた方法でアカウントを作成する際に承諾する条件である「利用規約」だった。2018年4月22日，コーガンはアメリカで最も広く視聴されているウィークリーニュース番組の一つ「60ミニッツ」に出演した。テストを受けるためにユーザーが同意しなければならない条件について話すなかで，OKをクリックすることでユーザーはアプリの開発者に「(ユーザーの)データをばらまいたり，転送したり，販売したりする許可を与えている」と述べた。これは，アプリで収集したデータの第三者への販売を禁止するフェイスブックの開発者ポリシーと矛盾していた。しかし，コーガンによると，彼もフェイスブックの従業員もこのポリシーを読んでいなかったという。大抵の場合，フェイスブックのユーザーもこの規約を読んでいない。共和党の米上院議員リンゼー・グラムが述べたように，規約が「理解を超えている」ということに，ほとんどの人が同意するだろう。

フェイスブックの視点から見て明らかなのは，データへのアクセスは問題ではなく，機能であることだ。実際，コーガンは，シリコンバレー全体に広がる思い込みを説明した。個人データへのアクセスは，「誰もが知っていることで，誰一人気にかけない」。

ケンブリッジ・アナリティカは，その膨大なデータの蓄積を複雑な「プロファイリングシステム」に入れたので，そこから商業データや投票履歴と組み合わせた心理調査を使って推定することができた。そして，調査対象であった個人であろうがなかろうが，同社の32の性格タイプのうちの一つを割り当てた。これにより，アナリティカはキャンペーン広告をカスタマイズし，特定の個人がどの性格タイプに該当するかによってターゲティングすることができるようになった。この手法を可能にしたのは，詳細にカスタマイズされた投稿を個々のユーザーだけに見せられるフェイスブックの「ダークポスト」機能だった。結果として，そのような行為に反論したり規制を加えたりすることはもちろん，ほかのフェイスブックユーザーが何を見ているのかを意識することもほぼ不可能になっている。

過去には，扇動的なニュースが表面化した場合，その内容は公開されているため，ユーザーは反論することができた。有権者は，誰を支持するか，何を支持するかを決定する際に，そのニュース記事について複数の異なる視点を比較検討することができた。今では，キャンペーンは，日常生活からデジタルフットプリントを利用して，有権者に関する詳細な人口統計学的データや心理学的データを得ることができるため，個々の有権者をターゲットにした説得力のあるメッセージを，ほかの誰からも見られないように送信することができる。

このようなデータマイニングは比較的珍しくない。フェイスブックは同様のデータ分析を用いて，ユーザーを「非常にリベラル」「リベラル」「穏健」「保守」「非常に保守的」に分類し，それに応じて広告戦略を調整している。しかし，このようなデータ収集が，トランプの物議を醸した選挙に関連する心理測定モデルと協力関係にあったと判明したことで，広く警鐘が鳴らされ，フェイスブックの大統領選挙における役割，より広範には政治における役割に対する疑問が，アメリカの国民的議論の最前線にもたらされた。

● フェイスブックが対決に加わる

その後，告発が続いた。ケンブリッジ・アナリティカ，コーガン，フェイスブックがそれぞれ非難の矛先をお互いに向けた。この論争のなかでフェイスブックは，ケンブリッジ・アナリティカとコーガンの両方をプラットフォームから追放し，コーガンがポリシーに違反していたと述べた。コーガンがデータを収集した具体的なプロセスについては知らなかった，とアナリティカは主張した。一方コーガンは，そのプロセスが合法であり，ごく一般的なものだとアナリティカが保証してくれていた，と主張することで反撃を行った。

このスキャンダルにより，ザッカーバーグとフェイスブックCOOのシェリル・サンドバーグは質問に答えざるを得なくなった。両幹部はメディアのインタビューに応じ，自分たちのシステムの利用が予期せぬ影響を与えたことについて過失があったと謝罪した。ザッカーバーグは2018年4月10日と11日の2日間，10時間以上にわたって，米上院と下院の超党派の委員会からの質問に答えた（図7.1）。

私は，両日の証人喚問に猛烈な注意を払って耳を傾けた。多くの質問から，データやインターネット，私たちの政治生活の何が危機にあるのかについて，政治家たちが理解しておらず，「デジタルリテラシー」を欠いていることが明らかになった。

たとえば，オリン・ハッチ上院議員は，ソーシャルメディア・プラットフォームがどのようにして利益を上げているのかについて，ザッカーバーグに質問した際に無知を露呈した。「ユーザーがサービスにお金を払わないビジネスモデルをどうやって維持しているのか？」。ザッカーバーグは

図7.1 メディアやアメリカ議会のメンバーに囲まれたフェイスブックのマーク・ザッカーバーグ

「上院議員，我々は広告を載せています」と答えた。政治家たちは，自分たちの質問を明確に表現する適切な言葉をもっておらず，データの使用と乱用，ユーザーのプライバシーに関する複雑で緊急性の高い問題についてザッカーバーグと対峙(たいじ)するのが難しいと自覚するに至った。自分の会社が独占企業かという質問に対して，ザッカーバーグは次のように述べた。「私にはそうはまったく思えません」。この答えは反論されなかった。

証言のなかでザッカーバーグは，彼のテクノロジーが「寮の部屋*」でささやかに始まったことに言及することで，厳しい問題を回避しているように見えた。今直面している問題を予期してはいなかったのだから，それと向き合うことになっても解決しようとしていないことが正当化される，とでも言いたいのだろうか。それとも，同社の当初の計画を逸脱しなければ

*ハーバード大学の寮のこと。

ならないような戦略的決定や企業の意思決定は一度もなかったと言っているのだろうか。これらの問題について問われることも，回答されることもなかった。

フェイスブックの批判者のなかには，フェイクニュースに関して同社がナイーブで無知だったと主張したことは，事実に反すると報じたものもいる。フェイスブックが政府の規制から逃れるために，他社に責任を転嫁しようとして意図的に偽情報を広めているというのだ。たとえば，フェイスブックは共和党系の反対候補調査会社を利用して，自社に抗議している活動家たちの信用を落とそうとした。彼らはジョージ・ソロス――オープンで中立的なインターネットを支持し，進歩的な政治家たちに多額の資金を提供することで物議を醸してきた億万長者とつながっているというのである。

フェイスブックを「さらに取り締まっていく」というザッカーバーグの公約は，その曖昧さが目立った。解決策として約束した「よりよいAI」は特にそうだ。彼は米上院でこう語った。「ツールをつくるだけでは不十分です。それがよい方向に使われるようにしなければなりません。それは，エコシステムを取り締まる際に，より積極的な視点をもつ必要があることを意味しています」。よいことばかりのように聞こえるが，疑問は尽きない。フェイスブックは，いや，それだけでなくデータやテクノロジーの大手企業は，ツールの「適切な」使用，「取り締まり」，あるいはフェイスブックが「より積極的」になることをどう定義するのだろうか。そのような言葉がいかにして定義され，どう実行されるかによって，すべてが違ってくる。これらの言葉を定義する力をハイテク大手がもつべきなのか，それとも私たちがもつべきなのか。

• 回避的な回答，隠されたアジェンダ

ザッカーバーグの証言には，単純化された責任回避的な要求が聞こえてくる。「フェイスブックを信頼してください。どんな問題もフェイスブック自身が一連の原則に基づいて処理し，〈悪い行為者〉を根絶します。その原則については明確にしたり開示したりすることを拒否します。フェイスブックの技術がどのように設計されているか，誰のために使われているかに関係なく，フェイスブックの技術を信頼してください」。これらの訴えは，根本的な問題を無視している。すべての有権者について，何千ものデータを政治家や企業が収集，売買しているが，公的なアクセスや監査から隠されたままになっているのだ。この問題には，携帯電話やインターネットにアクセスできる人なら誰もが影響を受けている。アクセスできなくても監視され，影響を受けている人もいる。

ザッカーバーグの名誉のために言っておくと，彼は主に抽象的な言葉を使いながらではあるものの，上院との対話のなかで四つの勧告に同意した。①プライバシー法の制定，②自分のコンテンツを誰が見ているかをユーザーがコントロールできるようにする，③顔認証に関する法律の制定，④3人の上院議員が超党派で提出した「誠実な広告」法*。ザッカーバーグは，ユーザーの見る内容について最終的にはフェイスブックに責任があるということも認めた。

しかし，悪魔は細部に宿る。ザッカーバーグの証言と同時に，イリノイ州の一部の議員が，ロビイストの支援とフェイスブックの積極的なあと押しを受けて，フェイスブックに「ユーザーの同意なしに顔認証スキャンを実行する自由を与える」よう州法を改正することを働きかけていることがわかった（図7.2）。これはヨーロッパからの報告と一致している。EUの

---

*政治的広告についての情報開示などを規定するもの。

一般データ保護規則（GDPR）の規定によって契約条件の変更が差し迫っているにもかかわらず，フェイスブックは，ユーザーの意図を操作するようにオプトイン*の承諾に関する通知を送ることで，顔認識技術の展開に成功した。これらのメッセージは，ユーザーに顔認証機能を有効にするよう促し，事実上，フェイスブックが「独自の顔認証の空白を埋める」のを助けることになった。オプトインの手続きをとることで，ヨーロッパのユーザーは，フェイスブックが「自分の生体情報を把握して使用する」ことに同意したことになる。

アナリティカのスキャンダルは，フェイスブックがアカウント登録したことがない人を含む非ユーザーのデータを収集・監視していることを白日の下にさらした。フェイスブックはこれを「（ユーザー）自身の利益のために」行ったと主張している。（なぜフェイスブックは自分自身と私たちのデータの間を技術的に接続することには長（た）けているのに，プライバシーの問題を予測したり行動したりすることができないのか疑問に思わざるを得

図7.2 フェイスブックは顔認証技術を推し進める。

ない)。

このスキャンダルはまた，私たちの多くが不穏な現実を直視することを余儀なくした。私たちのデータがどのようにして商業的，政治的目的のためにマイニングされ，販売されているか。多くの人にとっては，コーガンが著しく非倫理的な技術開発者であるにせよ，ケンブリッジ・アナリティカの不正行為に気づかなかったスケープゴートであるにせよ，メディアの中心人物になることを意味した。あるいは，「内部告発者」クリストファー・ワイリーを支持することを意味した。ワイリーは，2018年4月に「多くの人々」がこのデータにアクセスでき，「(コーガンが)イギリスとロシアを行ったり来たりしていたという事実を考えると，ロシアを含む世界のありとあらゆるところにデータが保存されている可能性がある」と指摘した。

アナリティカやコーガンに悪役のレッテルを貼って，ワイリーを英雄として見るのは，あまりにも単純だ(そして，ワイリー自身もデータにアクセスできた可能性があることが判明した。彼のスタートアップ企業・ユーノイア・テクノロジーズは，「2015年に選挙関連の仕事についてトランプ陣営に接触した」と報じられている)。それよりも，個人のデータに関連して，私たちの政治生活の基盤となっている砂上の楼閣について考えてみよう。個人データやその他のデータをハッキングするなどの汚い技術的戦術は，政治の世界では当たり前のことだ。アメリカは，これらの戦術を他国に向け，他国は互いに向け合い，そしてほとんどの国はその国民に向けている。ノーム・チョムスキーは，外国の選挙や政治へのアメリカによる介入に関連して，私にアナリティカの状況を「山のうえのつまようじ」と表現した。おそらく，より大きな問題は，私たちの政治的生活に関連したデー

*承諾の意思を表示したものだけが参加する方式。

タに対するコントロールと権力の問題だ。

忘れてはならないのは，現在の慣行を変えることは，フェイスブックの利益にはならないし，ほかの強力な企業にとっても有益にはならないということだ。彼らが究極的に服従する対象は，ただ一つ，自らの収支決算だ。では，どうすればよいのだろうか？　私たちは想像力豊かな質問をすることから始めることができる。フェイスブックを固有の問題として扱うのではなく，どのようなタイプのテクノロジー産業なら私たち全員のために機能するのかを考えてみよう。

たとえば，フェイスブックのような無料サービスが，ユーザーの監視や，データ販売による活動の収益化なしに機能するにはどうすればよいのだろうか？　ソーシャルネットワークの巨大企業は，大きな害をもたらす活動に従事せずに利益を上げることができるのだろうか？

私が提起した問題は世界的にも見られ，アメリカや欧米にとどまるものではない。ソーシャルネットワークは，どちらかといえば，権威主義的な支配下にある国など，独立したメディアが弱い世界の一部の国でより強力になる。フェイスブックのようなプラットフォームがいかに陰謀論やあからさまな虚偽のニュースや噂を助長し，暴力や不和をあおってきたかを明らかにする例は山のようにある。

次に説明する二つの事件は，これらの問題が実際に起きていることを明らかにする。一つ目はミャンマーの事件で，二つ目は「サイバー部隊」を巻き込んだ世界各地の事件だ。これらの事件は，フェイスブックと，その傘下にあるインスタグラムやWhatsAppなどの人気アプリが，いかに噂やヘイトスピーチを扇動して広めるために使われ，フェイスブックユーザーが閲覧するマスメディアになりうるかを示している。

沈黙させられたロヒンギャ

2017年，ミャンマー軍がイスラム教徒の少数民族・ロヒンギャの民族浄化に従事しているとの非難を受けて，国際的な懸念が高まった。ミャンマーは国民のほとんどが仏教徒の国であり，そこに住むイスラム教徒のロヒンギャは，現代世界で最も抑圧され迫害されているマイノリティの一つと広く考えられている。ミャンマー政府は，基本的に彼らを不法移民として扱っている。2017年8月下旬，反政府運動でラカイン州の警察署が襲撃され，治安部隊のメンバー12人が殺害されたことで，政府はロヒンギャをテロ組織と宣言した。その後，ミャンマー軍と仏教徒の暴徒の支援を受けて，村を放火し，民間人を銃殺し，ロヒンギャをレイプしたり拷問したりする迫害行為を開始した。その結果，40万人以上のロヒンギャがバングラデシュへの逃亡を余儀なくされたのだ。

支配的な集団による民族的・宗教的少数派を標的にした攻撃は，歴史の至るところで起こってきた。ロヒンギャの場合は，操作されたメディア報道がフェイスブック上に現れ，大量虐殺を正当化し，さらには永続させようとした。この状況は，1994年4月から7月にかけてアフリカのルワンダで起きた出来事と酷似している。当時，ルワンダで最も普及していたメディアはラジオだったが，デマや極端な恐怖の演出が襲撃の発生を正当化するために用いられていた。フツ族のために働くラジオ放送局は，たとえばツチ族を「ゴキブリ」と呼んでいた。国営放送局ラジオ・ムハブラは分断ではなく統一を強調していたが，全国的にアクセスが悪く，そのため聴取率も低かった。

ロヒンギャにとって不幸なことに，ミャンマーのケースにおいてはフェイスブックが，ルワンダで支配的なラジオ局がそうであったのと同じくらいの影響力をもっていたことが判明した。フェイスブックは，ロヒンギャの反政府組織であるアラカン・ロヒンギャ救世軍（ARSA）が「テロリズム」に関与しているとして「危険な組織」に指定した。同社はモデレーター*たちに，「同団体による」コンテンツや「同団体を称賛する」コンテンツをすべて削除するよう命じた。フェイスブックは，この決定は内部で行われたものであり，ミャンマー政府がARSAをテロ組織と宣言したことを受けた直接の要請によるものではないと主張した。むしろ，同社はARSAを「政治的な目的」ではなく，「暴力的な活動」に関する疑惑に基づいて評価したのだと述べた。

同じ頃，国連の人権担当トップが「民族浄化の教科書的な例」として軍の一方的な暴力を非難していたにもかかわらず，暴力に責任のあるミャンマー軍の認証済みフェイスブックページは260万人のフォロワーをもっていた。さらに，ミャンマーの指導者アウンサンスーチーは，彼女のソーシャルメディアへの投稿で反ロヒンギャ熱をあおっていると広く理解されていた。彼女のスポークスマンであるザウ・ハティは，フェイスブックがARSAを支持するすべてのコンテンツを検閲すると発表したことを再投稿した。その投稿は7000回近くシェアされた。

迫害されている宗教的少数者に対する人権侵害の報告を検閲するというフェイスブックの決定への批判は高まった。同社が「ニュース性があり，意義深く，公益にとって重要な」グラフィックコンテンツを許可するというポリシーを公言しているのだから当然だ。大量虐殺を止めようと奔走しているロヒンギャの活動家たちは，ロヒンギャに対する残忍な作戦を記録した投稿をフェイスブックが検閲していると抗議した。

この問題は多くの深刻な疑問を引き起こす。フェイスブックはどのようにして，何十万人ものロヒンギャ難民の苦境の画像や動画が「公益に関係がない」と判断したのか？　そもそも，国際的なコンセンサスに基づいて定義された民族浄化に加担していると見られる軍ではなく，迫害されている少数派のイスラム教徒を代表する組織を禁止するようなことをフェイスブックができたのはなぜなのか？　同社はミャンマーの状況や，歴史的に少数派に対して残忍な扱いをしてきたことについて，本当によく知っているのだろうか？

フェイスブックは自らが中立であると主張し続けているが，同社がコンテンツをモデレートする方法には政治的な利害関係がある。深い政治的・文化的分析や，本当の専門家に頼るのではなく，独自の条件で「暴力」に対応し，検閲することができるというフェイスブックの信念は，自らの政治的権力について透明性をもとうとしない姿勢を物語っている。そして実際，これは単にミャンマーの話だけではない。たとえば，フェイスブックは最近，スリランカにおいて虚偽情報に基づいてムスリムに対する暴力をあおる役割を担っていたことが暴露されたのだ。

あるインタビューのなかで，ザッカーバーグは当初，ミャンマーの事件をフェイスブックの「ヘイトスピーチへの取り組み」が有効に機能している一例として挙げ，システムが効果的にこれらのメッセージを検出して削除していると主張していた。ザッカーバーグが誇らしげにこのように語っていることは，フェイスブックが中立的な立場ではなく，積極的かつ計画的に行動しようと欲していること，つまり，ヘイトスピーチを検閲するアプローチを会社の宣伝材料にしようと欲していることを示している。ヘイトスピーチに「取り組もう」とする場合，まず何がヘイトスピーチに該当するのかを判断する必要があるが，これは通常，何千マイルも離れた場所にいる経営者やエンジニアではなく，さまざまな国の政府が民事・刑事の訴訟を通じて決定すべきことだ。

もちろん，民間企業には，一定の法的な制約の下で，どのような言論を

---

*問題のある投稿を監視したり削除したりする担当者。

表現したり，運営する私的事業内で載せるかどうかについて，許可したり，許可しなかったりする自由がある。しかし，これらの決定は常に政治的な緊急性との関連のなかで考えられなければならず，ましてや世界各地で起きている出来事に関しては特にそうだ。2016年のアメリカの選挙中や選挙後に，オルタナ右翼や白人ナショナリストの熱狂をあおるフェイスブックの役割を無視することは難しくなった。それと同じようにミャンマーのケースでは，政治的対立から距離をとるというフェイスブックのアプローチが，実際には暴力や憎悪に正統性を与える可能性があることが明らかになっている。

このことを知ったうえで，私たちはユーザーからの報告を受けることなく，「(フェイスブックは，) 罵倒的，憎悪的，または虚偽のコンテンツを識別するのにより一層役立つ人工知能を構築している」というザッカーバーグの発言を，警戒した目で見るべきである。これにより，ヘイトスピーチとそれについて私たちがコミュニティのなかでどう対処すべきかという問題に関して，フェイスブックは本来もつべき責任から逃れることができる。この責任には人間の手が必要だが，この仕事にふさわしい人間がフェイスブックの社員であるべきかどうかも不明だ。ソーシャルメディアのプラットフォームは，いつものように権力をたった一カ所に，すなわち彼ら自身の手に収めるのではなく，たとえば紛争解決や和解のプロセスを導入することで，現場のユーザーコミュニティの自律と権力をサポートすることがなぜできないのだろうか？

世界のサイバー部隊

テクノロジー企業は巨大な力を振りかざし続け，「サイバー部隊」を配備して政治的民主主義を脅かしている。オックスフォード大学の研究では，この用語を「ソーシャルメディア上で世論を操作することを目的とした政府，軍，政党のチーム」と定義しており，サイバー部隊は現在，世界の少なくとも28カ国で見られると指摘している。

多くの国は，オンライン上で世論を管理し，操作することについての専門家である。サイバー部隊の仕事は，政府や政治団体が日常的なソーシャルメディアのユーザーを装い，時には人を雇ったり，ボットを使ったりして，「現場」で積極的に行われている。伝統的なプロパガンダと同様に，その目的は政府や政党の見栄えをよくし，その目標や政策に対する国民の支持を確保し，批判者を抑え込むことにある。彼らは，政治的な目的を追求するために，偽情報や嘘，国民の最も基本的な偏見を操作することができる。

フィリピンのロドリゴ・ドゥテルテ大統領は，3000人以上の国民を殺害した血なまぐさい「対麻薬戦争」で国際的に注目され，物議を醸している人物だが，当選するためにサイバー部隊に頼っていることを認めている。しかし，ケンブリッジ・アナリティカなどの企業が，キャンペーン広告のために個人をターゲットにする手法を選挙前に使用したのとは異なり，ドゥテルテは，彼の暴力的な政権に正統性を与え，プロパガンダを広め，彼の政策を支持するメッセージを増幅するという名目で，選挙後にサイバー部隊を呼び寄せた。

フィリピンのこれらのデジタルの歩兵たちは，ボランティアと民間の請負業者で構成されており，同じ全体的な目標を達成するために異なる戦略を使用している。彼らは，政府やその政治的イデオロギーを補強するために，ソーシャルメディア上でポジティブな交流を生み出す。あるいは，政府の反対派を標的にして，言葉による罵倒やネット上での嫌がらせを含むネガティブな交流（トロールと呼ばれる）を扇動している。サイバー部隊の個人を標的とする手法は，現実に危険を突きつけるというミャンマーで目撃されたやり方と同様に，オンライン上の政治的な反対意見を黙らせる。しかし，ネガティブなサイバー攻撃は，何十万人もの宗教的少数派の窮状を大規模な検閲によって隠蔽（いんぺい）するのではなく，特定のオンラインユーザーへの注目を集めることで彼らがドゥテルテの「麻薬との闘い」において可視化され攻撃を受けるように仕向けるのだ。

政府はブログやiPhoneアプリ，その他のオンラインリソースでサイバー部隊を使って，政府のコンテンツを共有したり支持したりするためのボランティアを募り，時には政府の既存の支持者を批判者に対抗させるよう駆り立てることもある。たとえばエクアドルでは，政府が運営するウェブサイト「Somos」がウェブ上の政府批判者を調査し，特定している。そして，加入者のリストに更新情報を送り，反対意見や批判的な意見をもつユーザーに反応したり，さらには攻撃したりすることを政府支持者に奨励している。

スーダンでは，政府はサイバー部隊を擁し，フェイスブックやWhatsAppなどのサービスに実際に浸透させて，指導者のメッセージを全国のユーザーに広めている。世界最大の民主主義国であるインドでは，WhatsAppがサイバー部隊のプラットフォームとなり，少数派であるイスラム教徒に対するフェイクニュースや宗教的憎悪が発信されている。2018年5月，インド南部のカルナタカ州では，同国の2大政党がそれぞれ，2万件以上のWhatsAppグループにアクセスでき，支持者の迅速な動員を可能にしていると主張した。WhatsAppグループはメンバーだけが参加できるクローズドな会話であるため，外部からアクセスしたり，反論したりすることが難しい。そのため，偽情報を拡散したり，政治的感情を過激化させたりするのに有効なツールとなっている。同国のナレンドラ・モディ首相は「WhatsApp戦士」を利用していることで知られている。彼らは，イスラム教徒について有権者に警告するコンテンツを投稿することで知られている草の根グループを運営しているのだ。モディ率いるインド人民党のカルナタカ州の広報担当者は，このツールの有効性について次のように述べている。「マニフェストを宣伝することは，これまで以上に簡単だ……私たちは一瞬で現場の実情を知ることができる」。また，ブラジルでは，ジャイル・ボルソナロが大統領に当選した際に，サイバー部隊がWhatsAppを介して偽情報や噂を広める活動が活発化した。

政府関係者が使用するボットは，世界中でサイバー部隊の活動を促進させており，特に韓国，シリア，トルコ，サウジアラビアのような国では，不人気な政府の声や考えが時として増幅され，偽の「いいね！」や「シェア」「リツイート」で膨張させられている。

サイバー部隊の例は，多くのハイテク企業が行っている厄介な検閲やモデレートを補完するものだ。私たちがアルゴリズムで決定されたコンテンツに依存している限り，実在の個人，ボット，またはその両方で構成されているかどうかにかかわらず，サイバー部隊はウェブ上でイデオロギー的なメッセージを扇動し，ユーザーを政治的な操作に対して脆弱（ぜいじゃく）にし，その影響を受けやすくすることができる。また，フィリピンの場合のように，政府が押しつける脅威がユーザーを危険にさらすこともある。

政治的な操作に対する解決策は，単にデータを可視化したりアクセス可能にしたりすればよいというものではない。問題は，規制されていないユーザーとして現場に入り込み，すでに整備されているルールを利用して技術システムを操作したり影響を与えたりすることにある。このような現場レベルの侵入がもたらす脅威は，サービス提供側における規制や透明性の欠如と相まって，ユーザーの側に非常に不安定で誤解を招くような政治的な地勢をつくり出している。

民主主義は，情報へのアクセスや自由な意見の共有と議論に依存している。しかし，言論の自由，疎外された声や政治的・社会的運動を擁護していると考えられているように，まさにその民主主義的な原則こそ多くの人がインターネットの，特にソーシャルメディアの魅力を見出しているのだが，その暗黒面も存在している。これらの点が独立したメディア，オープンな対話を脅かし，暴力や破壊につながることもあるのだ。

第8章　偉大なるラディカライザー

特別な場合のツイートを除いて，バラク・オバマ前アメリカ合衆国大統領は，退任後の1年間は静かにしていた。そして2018年1月，デビッド・レターマンの番組「次のお客様は紹介の必要がありません」の特別回でNetflixの視聴者の前に登場した。オバマと元深夜トークショー司会者で，自身も最近引退したレターマンは，ユーモアのあるものから政治的に実質のあるものまで，さまざまな話題を取り上げた。

強く印象を残したのは，オバマが今日のテクノロジーとメディアが民主主義を脅かすと語ったことだ。彼は，アメリカで政治的に保守的なFOXニュースを見ている人たちは，米公共ラジオNPRを聞いている人たちとは「別の惑星に住んでいる」と述べた。

オバマの指摘は，私たちを政治的に分極化させるオンラインでの体験に当てはめると，さらに重要な意味をもつかもしれない。彼はレターマンに次のように語った。

民主主義にとって最大の課題の一つは，事実の共通のベースライン

> をどれだけ共有していないかということだ。(世界中の市民は)，まったく異なる情報の宇宙のなかで活動している。……ある面で，あなたはただバブル(泡)のなかに住んでいるだけだ。そして，それが今，私たちの政治が非常に分極化している理由の一つだ。

オバマ自身，ソーシャルメディアと市民のデータを利用して，二度の大統領選での政治キャンペーンを成功させた。特に2008年の選挙での逆転勝利は，世界を驚かせた。2016年のアメリカでの選挙におけるロシアの干渉やケンブリッジ・アナリティカのスキャンダルについてのすべての騒動と比較して，オバマの指摘は，より根本的なものだ。私たちのテレビ，ラジオ，オンラインメディアは，私たちを孤立させている。これが，彼が今日私たちが直面していると考えている課題だ。「分裂してばらばらになるのではなく，どのようにして共通の目的意識や〈一緒にやっている〉という感覚を維持するのだろうか？」。

今日，私たちは既存の政治的視点に基づいてチャンネルを選択するか，あるいは信頼できる友人(私たちと政治的視点を共有していることが多い)の視点をオンラインで見る。私たちは，検索結果やオンラインフィードを介して見るものは，「開かれた」情報の宇宙の一部であると考えている。誰をフォローしたり「友達」にしたりするかの自らの選択だけでなく，アルゴリズムが表示したり隠したりするコンテンツに基づいて，この宇宙がどのように偏っているかはまだ少ししか知らない。

多くの技術は，私たちがもっていて自覚もしていないような偏見に基づいたものであっても，既存の考え方を補強し，先鋭化する情報を提供することによって注意を引くように設計されているため，問題はさらに厄介になる。

テクノロジー学者のゼイネプ・トゥフェクチは，グーグルが所有する

YouTubeの「おすすめ」システムがその好例であることを示している。これを「偉大なるラディカライザー（過激化させるもの）」と呼び，動画サイトの推薦アルゴリズムが「人々が（検索を）開始したときよりも過激なコンテンツ，あるいは一般的に扇動的なコンテンツに引き寄せられると結論づけているようだ」と彼女は指摘している。

たとえば，YouTubeでドナルド・トランプの選挙集会を見ているとき，トゥフェクチは「自動再生」の次の動画にネオナチや白人至上主義者，その他の極右の過激なグループの暴言が含まれていることに気づいた。ヒラリー・クリントンやバーニー・サンダースの集会に関連して提案された動画は，アメリカ政府が9.11攻撃を計画したと主張したり，政府自体が秘密結社であると主張したりと，陰謀論的な左翼のアプローチをとっていた。「どれだけ過激であっても足りないかのようだ」とトゥフェクチは言う。なるほど，しかし10億人を優に超えるユーザーをもち，インターネットの通信帯域を最も多く消費しているテクノロジーにとって，これは正しい設計アプローチなのだろうか？

こうした自動再生のおすすめがユーザーである私たちに与える影響は，詳細に調べてみる価値がある。コロンビア大学のトウ・デジタルジャーナリズム・センターのジョナサン・オルブライトは，動画共有プラットフォームのアルゴリズムが「クライシスアクター・コンテンツ」を広げていると指摘する。この用語は，特定のアジェンダ（たとえば，銃規制や陰謀論の支持）を推進するために，トラウマを与えるような事件（たとえば，無差別銃撃事件）の生存者の演技をしている人々*の動画のことだ。このような動画をアップさせて拡散しているYouTubeの役割について，オルブライトは，「一般の人々に寄生しているようなものだ」と述べている。このジャン

---

*クライシスアクター。

ルの動画は，個人の心理をターゲットにしているだけでなく，大衆の反応を大量に誘発する可能性があるため，厄介だ。

クライシスアクターやアルゴリズム主導のコンテンツは，YouTubeだけの問題ではないとトゥフェクチは警告する。何十億人ものユーザーを抱えるほかの主要なテクノロジープラットフォームにも広がっているのだ。

イーサン・ザッカーマンは，この現象の影響を「異常なものを常態化する」と呼んでいる。メディア学者ダン・ハリンの研究を基に，ザッカーマンはメディアの言説に共通して三つの領域，すなわち，合意，正当性のある論争，そして逸脱があると指摘する。民主主義国家では，ほとんどの会話や議論は「正当性のある論争」の範疇（はんちゅう）に入るはずであり，ここでは寛容さと理性の精神で異なる視点が受け入れられる。しかし今，私たちのオンラインの世界とメディアのエコシステムは，逸脱を新たな常態としている。そして，私たちはこの逸脱を個別に経験している。すぐ隣に座っているインターネットユーザーは，同じことを検索してもまったく異なるコンテンツを見るかもしれない。

トゥフェクチは，この新しい常態に警鐘を鳴らしている。「私たちは人々に広告をクリックさせるためだけに，ディストピア的な社会を構築している」。彼女やほかの多くのジャーナリストや学者は，私たちのメディアシステムや技術が，ブラックボックス，エコーチェンバー，フィルターバブルのなかに私たちを置き，お互いから私たちを孤絶させていると警告しているのだ。

レターマンのインタビューにおいて，アラブの春とエジプト革命の真っ只なかの2011年に行われた実験の結果を説明する文脈で，オバマはフィルターバブルについて言及した。「エジプト」でグーグルを検索すると，アメリカの保守派はイスラム教徒（過激派ではないが）のムスリム同胞団に関連する結果を目にした。リベラルには，「タハリール広場」に関する情報が表示された。また，穏健派には「ナイル川の観光スポット」が出てきた。この例は，最近の記憶のなかで最も重要な政治的出来事の一つについてのニュースをオンラインで検索しても，はっきりした全体像が見えないことを示している。これらのフィルターは，私たちの政治的な認識や意識を閉ざしてしまう。そして,私たち同士の関係も閉ざしてしまうのである。

しかし私たちは，民主党か共和党か，あるいは左翼か右翼かが示す以上に複雑な存在だ。私たちの多くは，自分が賛成できない人々の意見を知っているが，彼らの視点や，彼らがなぜそれを信じているかということのなかに，人間らしさを見出すのに苦労しているかもしれない。政治学者のダニエル・クライスによると，フィルターバブルは政治的アイデンティティの強化に寄与し，既存の意見が当たり前で自然なものに見えるようなオンラインのソーシャルな世界をもたらしている。分極化が進むにつれ，共通の目的を見つけ，私たちの生活が互いに深く関連しあったものであることを理解するために相互が共通に目的としているものを見出すことは，より困難となる。誰かにとってプラスの結果が自分にとっても利益になることを想像することが難しくなる。ゼロサムゲームとして人生を見ることがはるかに簡単になってしまう。

クリストファー・エイケンとラリー・バーテルズは，共著である『現実主義者のための民主主義』のなかで，社会科学の研究から得られた知見の分析に基づいて結論を出した。投票行動において最終的に重要なのは，党派的な忠誠心を含む私たちのアイデンティティであって，私たちの教育や政治的リテラシーではない。フェイスブックやYouTube，グーグルなどで目に見える形になった「ソーシャルな世界」が私たちに影響を与えて,問題そのものではなく，自分のアイデンティティに基づいて政策についての立場をすぐに却下したり，受け入れたりするようにさせるとき，それは民主主義の大前提である，異なる視点を合理的に解釈し，議論し，反映することができる国民の存在を脅かしているのである。

検索エンジン：政治と人種の操作

インターネット上で最も訪問者数の多いウェブサイト，事実上の世界の検索エンジンであり，地球の検索市場の86％を支配するグーグルはどうだろうか。グーグルもまた，投票行動や政治的現実の認識に巨大な影響力をもっている。

心理学者のロバート・エプスタインとその同僚たちは，対照群を募集して，参加者のグーグル検索エンジンとの相互作用のさまざまな側面，つまり検索結果の順序，情報のフィルターのされ方，自動提案機能の使われ方を研究・分析してきた。これらの研究は，グーグルの影響に焦点を合わせているが，私たちの注目を消費し，見るものをフィルタリングするあらゆるテクノロジー・プラットフォームにも適用できる。そしてこれらの研究が示すのは，私たちがするかもしれない多くの会話や異なる政治的視点の根底には，検索結果の順序やフィルタリングにより，私たちが見たり考えたりするものが強力に形づくられているということだ。

検索結果の順序について考えよう。今日では，検索エンジン最適化(SEO)と呼ばれるプロセスに何百万ドルものお金をかけて，自分たちがオンラインで見られるようにすることを正当化している組織や企業の話をよく耳にする。なぜSEOがそんなに重要なのだろうか？　その答えは，私たちのオンライン行動の研究にある。検索結果が表示されたとき，私たちの50％以上がリストの上位二つの項目のいずれかをクリックする。私たちのクリックする90％以上は，結果の最初のページに掲載されている10項目だ。もし，ある視点や情報源がこのリストにない場合，それは本質的に私たちにとって存在していないことになる。だからこそ，エプスタインの言うように「グーグルの検索アルゴリズム（選択とランキングを行うコンピュータプログラム）をだまして，（ビジネスや組織が表示される順序を）1～2ランクアップさせる」ことを試みるのは理にかなっているのだ。

エプスタインと彼のチームは，外国の選挙で（公平な結果を保証するため）三つの異なるグループがどのように候補者を選択したかを比較するために，模擬検索エンジン（信憑（しんぴょう）性のためにウェブページは本物を使用した）を設定するという方法を考案した。観察で彼らが気づいたのは，検索エンジン操作効果（SEME）と名づけた現象だった。

彼らのデータによると，投票先を決めていない有権者に対しサジェストによる検索結果を操作することで，最初は半々の結果になると予測されていた選挙を，90％の賛成多数に変えることができるそうだ。ユーザーはこのようなバイアスがかかっていることを認識しているだろうか？　エプスタインは，答えは圧倒的にノーであることを発見した。これは，結果が隠蔽（いんぺい）されている場合，たとえば，より好まれない候補者が検索結果の3番目や4番目の位置に配置されることで，選挙の結果が変わるような場合にも当てはまった。

研究チームが2014年にインドの首相候補3者を対象に行った調査では，懸念すべき結果が出た。参加者の99.5％が「偏った検索ランキングを見ている」ということをまったく知らなかったのだ。ユーザーが候補者のことをよく知っていたケースでも，順序をずらすことの影響は大きかった。SEMEは「目に見えない力だが，サブリミナル刺激とは異なり，幽霊のキャスパーに階段のうえから突き落とされるような巨大なインパクトがある」とエプスタインは説明する。

2016年のアメリカの大統領選挙では，ヒラリー・クリントンが一般投票で約2％の差をつけて上回ったが，ドナルド・トランプが，ペンシルベニア州，オハイオ州，ミシガン州で1％以下の差をつけて勝利したおかげで，大成功を収めたことを考えてみよう。

これをエプスタインと同僚のロナルド・ロバートソンが出した結論と対比してみよう。グーグルは世界の国政選挙の最大25％を動かすことができる。浮動票の数や人口構成によっては，この率はもっと高くなる。この研究の背後にあるメッセージは明らかだ。検索エンジンが目に見えない隠れた方法で知覚に働きかけて，選挙と私たちの政治的生活をはっきり変化させるのである。

これは検索だけにかかわる問題ではない。私たちがオンラインで見るものや，これが私たちの政治的な光景に与える影響にも関係する問題だ。たとえば，研究者のロバート・ボンドが『ネイチャー（*Nature*）』誌に掲載した論文では，2010年にフェイスブックが6100万人のユーザーに「投票に行こう」というリマインダーを送ったという実験が紹介されている。この研究では，これらの人々のうち，投票するつもりのなかった34万人が投票したことが明らかになった。このことは，以下のような重要な疑問を多く投げかけている。同社はどのようにしてメッセージを受け取るユーザーを決定したのか，また，特定の政治的アイデンティティに基づいてターゲットを絞ったのか。フェイスブックの意図の背後には，どのような悪用の可能性が潜んでいるのか？

これらの偏見が脆弱（ぜいじゃく）な人々に与える影響はどうなのか？　アメリカで最も疎外されたグループの一つであるアフリカ系アメリカ人に注目してみよう。テクノロジーと人種の学者であるサフィヤ・ノーブルは，2018年の著書『抑圧のアルゴリズム』のなかで，ほとんどが白人男性である設計者（または企業の幹部）の偏見をアルゴリズムが反映し，正常なものとみなすため，データ差別が既存の偏見を悪化させると指摘している。

2018年に『タイム（*Time*）』誌は，ノーブルの本からの抜粋を掲載した。2009年までさかのぼって，「黒人の女の子」という表現に関する，彼女の検索パラメータと結果の関係を再検討したものだった。検索クエリにポルノやセックスという言葉が含まれていないにもかかわらず，検索結果の最初のページには，プッシー，シュガー，毛深い，尻，ポルノ女優などの言葉が含まれていた。これは，サイト上で行われた多くの異なるクエリに対して彼女が受け取った自動サジェストと一致していた。ノーブルは，視界と優先順位をグーグルを介して形成する隠されたエンジンが，「歴史的にも現代的にも社会における女性の地位が欠落していること，古いメディアの伝統が新しいメディアアーキテクチャに直接適用されていること」を反映していると主張している。

アメリカ内の主要な政治問題の一つは，警察によるアフリカ系アメリカ人の射殺事件である。世間の反応を分極化させた最初の悲劇は，2012年2月にフロリダ州サンフォードで起きた。コミュニティの「地域監視団」コーディネーターだったジョージ・ジマーマンという自警団員が，丸腰だった17歳のトレイボン・マーティンを射殺したのだ。この事件は抗議の嵐を呼び，2013年7月に陪審員がジマーマンを無罪放免にしたあと，その嵐はさらに激化した。3人のアフリカ系アメリカ人女性によって始められたブラック・ライブズ・マター運動は，マーティンの銃撃事件から生まれ，警察が黒人の若者を射殺する事件がほかにも相次ぎ，政治的なニュースサイクルの定番となっていくなかで勢いを増していった。

グーグルはこの危機をどのように表現したのだろうか？　検索のサジェストは，マーティンを「チンピラ」，ジマーマンを「ヒーロー」としている(140ページ，図8.1)。このように，丸腰だった若い黒人被害者の物語とアイデンティティを攻撃するように事件が語られていくのだ。

検索エンジン市場を支配するグーグルは，政治的な出来事を定義することが可能になっている。この状況は，平等，多様性，正義という価値観に基づいて構築された民主的な政治環境を脅かすものである。私たちの世界

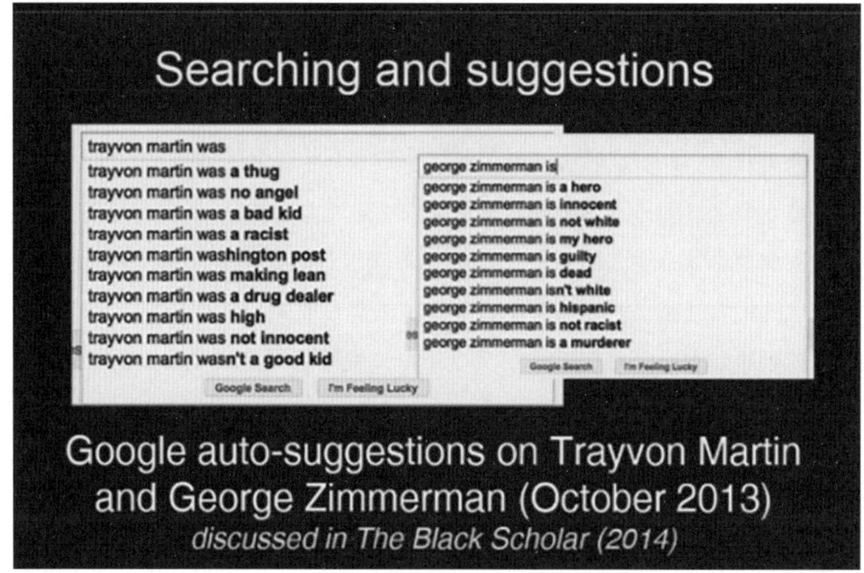

図8.1 グーグルの検索サジェストは，被害者に責任をなすりつける。

が「ポスト人種」社会[*1]に突入したという神話は，グーグルのような企業の支配と相まって，私たちが今，受け入れられないことを受け入れていることを意味しているとノーブルは言う。たとえば，グーグルやフェイスブックなどの巨大ハイテク企業では，特に管理職や技術職でマイノリティや女性の雇用がとても少ないのを私たちは知っている。しかし，そもそもこのような人々が適切な比率以下でしか雇用されていない状況の原因となったバイアスを生み出しているようにも思われる。

ノーブルは，私たちがオンラインで情報を探して見て回る方法について，公共の管理と規制が必要だと述べている。公共図書館は，情報を分類する代替的な方法を研究していることと公共への説明責任を考えると，人種的・政治的偏見を克服する検索技術をよりよく開発できるのではないかとノーブルは提案する。現在は危険な状況だ —— 断絶された商業的利益がインターネットの最も人気のあるプラットフォームを動かし，選挙や人種，さらには国家にまで影響を与える可能性があるのだ。

これらの懸念と一致するものが，2017年3月に『サイエンス（*Science*）』誌に発表された憂慮すべき研究に見られる。研究結果では，AI技術が自らの分析するテキストに文化的な偏見やステレオタイプを押しつける可能性があることが明らかになった。たとえば，「単語埋め込み[*2]」と呼ばれるアルゴリズムのAIツールは，履歴書をスキャンするという人事タスクで使用したところ，履歴書にはほぼ同じ学歴や経験が記載されていたとしても，ヨーロッパ系アメリカ人とアフリカ系アメリカ人の名前に対する50%のバイアスを示した。同様に，ヨーロッパ系アメリカ人の名前のリストには，快い言葉のほうがはるかに多く関連づけられたのに対し，アフリカ系アメリカ人の名前は否定的な言葉と関連づけられやすかったという結果が出ている。

これらの悩ましい調査結果にもかかわらず，研究の共著者であるアービンド・ナラヤナンは，単語埋め込みは「コンピュータが言語を理解するのを助けるうえで，ここ数年で目を見張るほどの成功を収めている」と説明している。しかし，ナラヤナンと共著者の名誉のために言うと，この研究は，言語の「理解」が中立的な工学的タスクであると仮定していない。彼らは，機械がどのようにして言語を理解するかを探るだけでなく，その政治的な意味合いを分析するためにも，より多くの研究が必要であると主張している。この研究は，私が紹介したその他のものも含め，重要な視点を共有してくれる。AIは私たちの偏見を学習するだけでなく，それを模倣するのだ。

[*1] 人種問題が解決されたあとの社会。

[*2] コンピュータに言語を理解させるために，単語の意味や用法などの特徴を数学的に埋め込むこと。

アルゴリズムとデータ：
私たちの世界を開くのか，それとも閉ざすのか？

これらの問題に対して別のアプローチをとることは十分に可能だ。つまり，私たちの多くが頼りにしてきたシステムは，全体的に効率的なだけでなく，実際に「人間的価値」を提供し，支えると主張することもできる。これは，データサイエンティストであり心理学者でもあるミハウ・コシンスキーがとる視点だ。コシンスキーはデジタルフットプリント，つまりデジタル機器やシステムとの相互作用のなかでユーザーが手放すデータを通して人間を研究するという挑発的で魅力的な研究で最もよく知られている。

現在はスタンフォード大学ビジネススクールの教授を務めるコシンスキーは，ケンブリッジ大学の博士課程に在籍していた頃，デジタルフットプリントからユーザーの性別，心理状態，セクシュアリティ，宗教などを予測できることを示す研究の先駆けとなった。コシンスキーは，ケンブリッジ・アナリティカが使用した技術とつながりがあるが，同社とは何の関係もなく，同社とその手法を「洗練されておらず，我々が関心をもつに値しない」と述べている（図8.2）。この見出しはコシンスキーとは逆の見解を伝えている。それにもかかわらずコシンスキーは，特に「世界をひっくり返したデータ」と題された記事を通じて，アナリティカの議論の主人公として描かれ，注目されてきた。その記事のなかで筆者たちはコシンスキーの心理測定研究の仕事と，心のなかを深く掘り下げている。同記事は，2014年にアレクサンドル・コーガンが秘密のプロジェクトのためにコシンスキーのデータベースにアクセスする許可を求めて接触してきたときに感じた彼の「嫌な予感」を描いた。そのプロジェクトについて情報を明かす権限を，コーガンはもっていなかった。

第4章では，私たちのデジタルフットプリントが私たちのより多くを暴露し，統合して分析することで，知人や友人，密接な関係の人以上に私たちのことを深く知られてしまう可能性があることを説明した。コシンスキーは，このデータ収集の倫理について何を述べるだろうか。驚くべきことに彼は，データ追跡とアルゴリズム技術は世界を閉じてしまうのではなく，世界を開放してくれると主張している。コシンスキーは，過去には人間はより限定的でコントロールされた情報の世界のなかで生きていたと指摘している。私たちが何を学び，どのように考え，何を信じるかは，大部分が私たちの所属する社会によってコントロールされていた。聖職者，教師，政治家，親など，これらすべての人々は，私たちを(可能な場合は)愛情を

MOTHERBOARD

CAMBRIDGE ANALYTICA | By Hannes Grassegger & Mikael Krogerus | Jan 28 2017, 8:15am

The Data That Turned the World Upside Down

How Cambridge Analytica used your Facebook data to help the Donald Trump campaign in the 2016 election.

SHARE | TWEET

図8.2　ケンブリッジ・アナリティカとフェイスブックやトランプを結びつけるセンセーショナルな見出し(出典：Motherboard)

込めて育てただけでなく，私たちを社会化し，私たちがどのように考え，何を考えるかに影響を与えていた。これらの人々は，今日のインターネットよりもはるかに強く私たちを支配していた，と彼は主張している。

コシンスキーは，インターネットの役割が，書き言葉が印刷機によって新たな読者に届けられるようになったことに似ていると見ている。それによって彼ら自身の文書をつくり熟慮するような新たな共同体を生み出し，刺激を与えてきたのだ。

この楽観的な見方を，本書で提起する懸念とどのように折り合いをつけたらよいのだろうか。私たちがオンラインで経験する「新しいつながり」は，私たちがコントロールできない力に支配されているのではないだろうか。私たちがオンラインで見るものが，既存の政治的バイアスを補強する傾向があるという事実についてはどうだろうか。コシンスキーは，これらの疑問の背後にある否定的な前提に同意しない。彼は，アルゴリズムによって制御されたサジェストのシステムは，私たちの見解を反映したり遮断したりするだけのものではないと主張している。むしろ，それは私たちの世界観を拡大してくれると彼は考えているのだ。

コシンスキーは，銃所有に賛成し，アクション映画とブリトニー・スピアーズが好きな人物像をサンプルとして挙げてくれた。スピアーズを「好き」ということに基づいて，この人のためにコンテンツをサジェストするアルゴリズムを想像してみてほしい。コンテンツはその人の銃賛成派としての傾向を必然的に強めるだろうか，あるいはスピアーズが銃規制に賛成する立場で発言しているという事実に基づいて，反対意見のコンテンツを選択するだろうか。後者となる可能性は十分あり，コシンスキーの推定では，オンラインでないときより多いだろう，ということだ。

では，ケンブリッジ・アナリティカの影響について何がいえるだろうか。コシンスキーは，同社を「まったくとるに足らない」と表現し，ほかの多くの組織と比較して，計量心理学的な政治的予測のためにデータを使用することにははるかに不得手であると述べている。ほかの組織とはどこかと尋ねたところ，彼の答えには啞然（あぜん）としてしまった。「どの大規模な広報会社でも」と言うのだ（私がさらに具体例を求めると，彼はクアントキャスト一社だけを挙げた）。詳細を別にすれば，コシンスキーは同じ論点に戻り続けた。フェイスブックの怠慢のおかげで非常に大量のデータを取得することに成功した以外に，アナリティカについて特別なことは何もない。彼の見解では，同社がこのデータを使って行ったことのなかで，意味があり，効果的であったものは何もない。

アナリティカが行ったようなターゲティングは，コシンスキーの考えでは問題があるのだろうか？　潜在的にはあるかもしれないが，アルゴリズムによるパーソナライゼーションが提供する信じられないほどの利益と比較すれば，ないということになる。パーソナライゼーション，ユーザーがインターフェースやシステムを自分の好みに適応させるプロセスは，透明性からは程遠いかもしれないが，スタンフォード大学のデータサイエンティストであり心理学者のコシンスキーにとっては，実際に透明性への入り口なのだ。アルゴリズムは新しい情報を体験するための道を与えてくれると彼は主張している。アルゴリズムは，私たちをフィルターバブルのなかに閉じ込めるのではなく，消化しやすく効率的な方法で私たちの世界を開いてくれるというのだ。プライバシーを手放すことは，火に少し似ていると彼は主張する。家を暖めることはできるが，ある時点で制御が必要になるだろうということだ。

私は，この才気あふれるデータサイエンティストの視点に悩まされると同時に魅了された。しかし，この会話のあと，一つの大きな疑問が残った。プライバシーか透明性かという選択は間違っているのではないか？　どちらか一方を手にしたら，もう一方は手にできないと仮定するのは誤解を招くのではないか？　そして，これらの価値観は誰の言葉で定義され，実行されているのだろうか？

第９章　バーニー誕生

バーニー・サンダース上院議員の2020年アメリカ大統領選挙キャンペーンは，この章を書いている今も健在だ。2016年，彼のチームがテクノロジーをクリエイティブに使ったおかげもあって，彼のキャンペーンは国の既存の支配者層を揺るがした。サンダースの選挙区であるバーモント州は，人口100万人未満で，全国の0.3％にも満たない。2015年に選挙運動を開始する前の１カ月間，サンダースが世論調査で得た支持は３％前後で，アメリカ議会からの支持はゼロだった。

それなのに，民主党からの出馬を宣言してから24時間以内に，サンダースは150万ドルを集め，10万人以上の人々が彼の選挙運動に参加し，そのうちの3万5000人が寄付をした。バーニーは半年も経たないうちに，ヒラリー・クリントンに激しい争いを強い，共和党の最有力候補トランプの注目を集めた。トランプはサンダースを狂人呼ばわりしたり，共産主義者と偽ったりして批判を浴びせた。

サンダースは選挙戦終了時には，大統領選の予備選で過去のどの候補者よりも多くの献金元から寄付を受け取ったという記録を打ち立てており，

2008年の画期的な選挙戦におけるオバマの記録をはるかに上回った。2018年10月に実施された複数の世論調査によると，バーニーは依然としてアメリカで最も人気のある政治家であった。

サンダースは，企業やスーパー政治活動委員会（スーパーPAC）からの資金提供を受けることを一切拒否し，予備選期間中，この約束を守り抜いた。最終的に，彼の2016年の選挙キャンペーンはオンラインで２億1800万ドルを集め，そのほぼすべてが少額の寄付者からだった。寄付の平均額は，サンダースが登場する前に，支持者が唱える掛け声になった。「27ドル！」。

長年にわたりポピュリストで進歩主義的なアウトサイダーであったサンダースが訴えてきたのは，経済的平等の拡大や，縮小する中産階級や労働者階級を支えることで，無党派層と自認する人々を含む多くの国民の心に響いた。国内の大手銀行を厳しく批判し，規制を求める彼の発言は，2011年の「ウォール街を占拠せよ」運動のあとを継いでいるように見えた。また，アメリカの政治家のなかでは高齢であるにもかかわらず，若い有権者の間ではロックスター的な地位を獲得した。

サンダースは，トランプと同様に，国内有権者のかなりの割合が，すでにアメリカの２大政党の主流派に幻滅していた時期に登場した。多くの人は，両政党が企業やロビイストの献金によって腐敗していると見ていた。インフラストラクチャや再生可能エネルギー産業への再投資を主張していたサンダースにとって，この時期は都合がよいように思われた。このアウトサイダー的なアプローチは，自由貿易政策を批判するトランプの「アメリカを再び偉大な国に」というキャンペーンに似ていた。しかし，トランプとは異なり，サンダースの解決策は，単に雇用を復活させるだけではなく，アメリカ経済を労働者や中産階級寄りの方向へと根本的に転換させることであった。

図9.1　バーディー（鳥）・サンダースの瞬間

サンダースの声と立場が，タイミングよく現れたのは間違いない。そして彼のチームはインターネットを拡声器として使うことができた。例として，2016年3月下旬にオレゴン州ポートランドでのある驚くべき日のことを考えてみよう。オレゴン州の予備選のちょうど52日前，サンダースが1万1000人の群衆に向けて熱弁をふるっていたとき，すぐそばに一羽の鳥が飛んできた。サンダースは鳥を邪魔者扱いするのではなく，その存在を歓迎した。鳥は演壇のうえに止まり，聴衆からは大歓声が上がった（図9.1）。

この出来事は，インターネットの力を借りて拡散され続けた。バーニー・サンダースが「バーディー（鳥）・サンダース」を生んだのだ。ニュースメディア・ポリティコがすぐにツイッターに投稿したこの出来事の動画は，瞬く間に拡散され，3日間で5万件近くの「いいね！」と3万6000件近くのリツイートを集めた。ハッシュタグ「#バーディー・サンダース」は，ツイッターでトレンド入りし，バーディーのニュースはほかのメディアや主要な報道機関やブログ界などのメディアに浸透した。

その10年以上前，2004年大統領選で民主党の指名を争っていたハワード・ディーンの予備選キャンペーンは，初めてオンラインで重要な組織化を行った。選挙戦を指揮した選挙戦略担当のジョー・トリッピは，バーディー（とバーニー）・サンダースの人気がここまで高まった要因として，当時と比べてインターネットが拡大していたことを挙げている。「鳥の件は……2004年に起こっていたら」と彼は当時のテクノロジーに言及し，「私たちにできることは何一つなかっただろう。今では，（バーディーの瞬間）と構築が進んだネットワークを活用することができる」。

勇敢な努力と，鳥の予期せぬ幸運な出現にもかかわらず，サンダース陣営の戦いは最終的に失敗に終わった。バーニーは2016年7月12日，インサイダーのヒラリー・クリントンが民主党全国委員会と癒着していると非難されているなかで，クリントンとの戦いから撤退した（そしてクリントンを支持した）。しかし，サンダース陣営の物語は，デジタル戦略を使用したポピュリスト的な草の根の政治形成を考えると，示唆に富んでいる。

バーディー・サンダースはどのようにして拡散され，このキャンペーンを支えるだけでなく，バーニーを一躍有名にしたいくつかのミーム*の一つになったのだろうか？　アメリカで最も年老いた政治家の一人は，どのようにして，初めて投票するような20代の有権者にこれほどまでに人気を博したのか？　サンダースはどうやって，選挙キャンペーンの典型的な基盤である何億ドルもの企業献金を避け，何百万人ものアメリカ人から平均27ドルの寄付を受けて，運動を続けることができたのだろうか？　このキャンペーンは，市民参加と政治に対する人々の力のための機会を開くためにインターネットがもつ偉大な平準化の可能性について，何を明らかにしたのだろうか？

私は本書を通して，テクノロジーがどのように目的，価値観，理想に関連して設計され，配備されているかについての例を挙げている。サンダースのような選挙運動では，技術的な課題は，たとえば，ケンブリッジ・アナリティカがかかわった選挙運動とはまったく異なるものになるだろう。たとえば，同社が手を出した候補者は，極端に裕福であったり（トランプ），大金持ちの利害関係者から支持を受けていたり（テッド・クルーズのように），世界のほかの権力闘争に関与していたり（ウフル・ケニヤッタのように）する。

その違いは何だったのだろうか？　サンダースのチームは，テクノロジーを主にデータを収集し，収益化し，データに基づいて有権者をターゲットにする方法として見るのではなく，インターネットの力を利用して人々を結びつけられることに気づいたのだ。

レボリューション・メッセージングとオンライン選挙キャンペーン

私は2018年に，サンダースのオンライン選挙キャンペーンを主導した政治的にも進歩主義的なデジタルエージェンシー「レボリューション・メッセージング」のチームと何度か話をしたことがある。同社は，2004年のハワード・ディーン，2008年のバラク・オバマのキャンペーン中に，大衆を集結させるインターネットの可能性をすでに見抜いていた。サンダースへの連帯と行動に向けてアメリカ国民をさらに動かそうと，レボリューションは電子メールやソーシャルメディアの投稿で情報を広め，インターネットを利用した資金調達も大成功させた。キャンペーンでは，モバイル

---

*ネット上で流行している話題。

端末からの寄付が43％という記録的な数字をたたき出した。

キーガン・グーディスは，レボリューション・メッセージングのデジタル広告担当ディレクターだ。彼は私に，有権者をマイクロターゲティングする（アナリティカが使っていた戦術）代わりに，レボリューションは，伝統的な支持層の政治に代わるものを探している何百万人ものアメリカの有権者にリーチすることに焦点を当てたと話してくれた。「複雑なマイクロターゲティングキャンペーンを成功させるのは非常に難しい」とグーディスは説明した。バーニーの場合は，金持ちの市民2000人に頼るのではなく，「より広いネットから始めて……より多くの寄付者にリーチすることを意図していた」。

サンダースのオンラインでの成功は，彼が自分の言葉に忠実であり続けることを可能にした。企業やロビイスト（PAC）からの献金を受け取らないだけでなく，一般的に極めて裕福な寄付者に限定される伝統的な献金者イベントも避けた。要するに，オンラインでのアウトリーチに選挙運動の重きを置いたことで，サンダースはポピュリズムを維持しながら，投票者に対して誠実であり続けることができたのである。

レボリューション・メッセージングは，サンダースの選挙運動で使われた戦略を開拓し，実行したが，同社はほかの草の根運動を支援するためにも同様の手法を使用してきた。（たとえば，本章の後半で紹介するデイリーアクションのキャンペーンについての私の記述を参照してほしい）。これらの運動はそれぞれ，人々の意識に影響を与え，為政者や企業に圧力をかけ，市民の参加が変化をもたらすことができることを示す証拠を集めるという点で，大きな成功を収めてきた。しかし，草の根運動を熱心に支援しているにもかかわらず，レボリューションがテクノロジーについては不可知論者であることに変わりはない。同社はプラットフォームやブランドの誇大広告を鵜呑（うの）みにするのではなく，特定の成果をサポートするために最適なデジタル戦略に焦点を当てている。レボリューションは，ほぼすべてのテクノロジー・プラットフォームに使い道があると考えているが，単一のツールやシステム，特にグーグルやフェイスブック，ツイッターなどの企業が運営するブラックボックスには，健全な懐疑心をもっている。

●コンテンツが王様

レボリューション・メッセージングの上級ストラテジストであるアルン・チャウダリとの1時間に及ぶインタビューの間，彼は成功するデジタル選挙キャンペーンについて生き生きとした発言を繰り返して私を驚かせてくれた。たとえば，ケンブリッジ・アナリティカとレボリューションの手法を比較して，彼はアナリティカの透明性の欠如を指摘した。「彼らはインチキ薬を売っている。ステーキでなく，ステーキを焼く音だけを売っているのだ。違いは，もしあなたが（アナリティカに）秘密のソースが何であるかを尋ねても，彼らは教えてくれないかもしれないが，私たちに尋ねたら『そんなものはない』と答えるだろう，ということだ」。チャウダリにとって，有権者にリーチするためのキャンペーンの方法について自ら明らかにすることこそが重要なのだ。

データ監視ゲームをしたり，ヒステリーを生む「インチキ薬」アルゴリズムの陰に隠れたりするのではなく，レボリューションは，有権者がリソースやアイデアを共有し，それによって自らの信じる目標のために闘う力を与えてくれるインターネットの可能性に焦点を当てているとチャウダリは言う。そして，その可能性の一部は，有権者が候補者やキャンペーンのメッセージに賛同してくれるかどうかにかかっている。

だからこそ，チャウダリがもう一度強調したように，コンテンツが鍵を握っているのだ。目に見えないところで収集された粒度の細かいデータとその価値について考えることも大事だが，インターネットを動かすのは動画コンテンツであることも忘れてはならない。結局のところ，人々はよいストーリーを求めているのだ。

それがレボリューションの活動にどう影響するのだろうか？ バーディー・サンダースは，ストーリーなしに魔法でミームになったわけではない。このプロセスには，レボリューションの主要スタッフたちによる熱心な観察と準備，そして迅速な意思決定の組み合わせが関与している。チャウダリが説明するように，そのためにはカメラマンを用意し，鳥が偶然着地した瞬間を撮影できるように準備しておくことと，メールで即座にストーリーを広める能力が必要だったのだ。

レボリューションのスタッフへの取材を通して感じたのは，有権者への信頼と民主主義への信念だった。アメリカの政治状況に批判的で冷笑的な人が多い時代にあっても，有権者は政治の変化に参加したいと思っていると同社は信じている。チャウダリが私に語ったように，「（私たちの目標は）人々に何か気になることを手渡し，私たちがスプーンで餌づけしなくても自分自身で調べられるようにすることだ」。

たとえば，サンダースが高齢者としては信じられないほどの成功を収めたこと，具体的には若い有権者を惹きつけたことについて考えてみてほしい。彼らは2016年に初めて国政選挙で投票する資格を得たような，より広いミレニアル世代の年齢層の一部であった。レボリューションのスタッフは，有権者のいる場所に行くという戦略を説明してくれた。それはスナップチャットやインスタグラムといったプラットフォームのことだ。しかし，繰り返しになるが，これらのプラットフォームを使ってユーザーを混乱させたり，特定のコンテンツでターゲットを絞ったりするのではなく，目標はバーニーを「ありのままの姿」で，多くの若者と同じように変化への欲求をもった人物として提示することだった。問題は「若者にどう話すかではなく，大人と同じ会話にどう誘うか」である。それが若い有権者の望むことであり，だからこそバーニーは「いつのまにか押しつけられた候補者ではなく，彼ら自身の代表」として理解されたのだ。

人々は透明性とすばらしいストーリーを切望している。多くの政治的目標に向けて行っている仕事のなかでも，レボリューションは，サンダースの選挙運動で効果を証明した感情のつながりと直接的なコミュニケーションという戦略を使い続けている。

●群衆の力

レボリューションのキーガン・グーディスは，「ウォール街を占拠せよ」運動の活動家の声を思い起こさせる企業観を私に語った。「この国ではあまりにも長い間，国や州の選挙運動を行うためには，大富豪であるか，大富豪の友人がいなければならなかった。候補者は，選挙資金のために電話をかけたり，裕福な寄付者とつるんだりすることに時間を費やしていたので，1％の富裕層のための経済になってしまったのも不思議ではない。我々はその状況を変えようとしている」。

グーディスの言葉は，「ウォール街を占拠せよ」運動からもう一歩進んでいる。テクノロジーは，大企業の経済的利益だけではなく，それを利用する何十億人もの人々，つまり99％と呼ばれる人々をサポートするように設計することができるし，そうすべきだ。レボリューション・メッセージングのアプローチはテクノロジーの設計だけでなく，数多くの人々がもつ力を増幅させるツールとしてのテクノロジーの戦略的利用にも適用される。

レボリューションがこれまで行った設計で最もすばらしいものは，政治的に進歩主義的な活動に使用されるモバイルシステム「リビア・テクノロジー・スイート」だ。リビアは，SMS，通話，データ収集の三つの機能を統合しており，運動の主催者は支援者のリストを収集し，キャンペーンを計画することができる。さまざまな活動のオプションが提供されているので，ユーザーは特定の問題に対して最大限の影響を与えるための努力に集中できる。また，主催者はこの技術を使って，メッセージに対するユーザーの反応を評価することができる。

リビアのデザインは，目に見えない形で私たちを監視するのではなく，ユーザーの声を活性化し，調整することに焦点を当てているので，候補者や政策を支援するために群衆自身の力を利用し，何倍にもすることができる。レボリューションのチームに対するインタビューは，道具としてのテクノロジーというビジョンを示してくれた。どこにいるか，どれだけの収入を得ているか，どのような人口層に所属しているか，どのような問題に熱中しているかに関係なく，テクノロジーを通じて進歩的な価値観を表明した市民を巻き込むことができるのだ。レボリューションは，テクノロジーやデータの会社として見られるのではなく，その専門性を定義する言葉，すなわち「組織化」という言葉で認識されたいと考えている。

このような視点をもつことで，テクノロジーがどのように使われているかを再考し，群衆がキャンペーンに資金を提供し，宣伝し，力を与える可能性に焦点を当てることができる。レボリューションの上級副社長であるデー・レヴァインは私にこう語った。「（私たちが望むのは）誰もがどこにいても，どんな方法でも参加することだ。寄付者がお金を出すだけではなく，街頭で時間を割くだけでもなく，オフィスでボランティアをするだけでもなく，すべての人がすべてのことをするのだ。（私たちは）それぞれのできる方法で誰もが参加できるように戦略とツールを開発している」。

サンダースの選挙キャンペーンでは，このアプローチとそのロジックが実践されているのを目の当たりにした。より多くの人々に手を差し伸べることができれば，たとえ個々の貢献が小さかったとしても，大きな成功を得ることができるのだ。群衆を活性化させることで，平均27ドルの寄付が資金調達の記録を更新するまでになったのだ。

●オンラインとオフラインの取り組みをリンクさせる

レボリューションのスタッフとの会話のなかで，もう一つの強力なデジタル戦略があることを知った。テクノロジーを横断して，オンラインとオフラインという対立する区分けを超えて思考すること。運動を構築し維持するには，特に億万長者が資金を提供していない場合は，変化を可能にするために人々を結びつけるあらゆる方法を利用しなくてはならない。

リビア・テクノロジーは，テキストメッセージによる政治キャンペーン，ポスターデザイン，対面での抗議活動など，表裏を問わず政治的な組織化に関連するさまざまな作業に適用することができる。デイリーアクションのキャンペーンでの使用は目を見張るものがあった。

説明しよう。デイリーアクションは，25万人以上の購読者へ，毎日違った行動や目標一つについて簡単な説明を送信する。そして，その行動を支援するために電話する迅速で簡単な方法を提供するのだ。画面に表示された電話番号をタッチするだけで，議会のメンバーや政府機関，あるいは企業に連絡することができる。ニュースのサイクルを常に監視することで，チームのメンバーは，タイムリーな注目と支援を必要とする目標やキャンペーンを選ぶことができる。

取材時にデイリーアクションに関係するレボリューションの活動を指揮していたカーラ・アロンソーンは，現在のアメリカの政治におけるチームの考え方をこう説明してくれた。「毎日ニュースを見るのは率直にいって疲れる。これこそがデイリーアクションをとても手軽に感じられる理由の一つだ。デイリーアクションはあなたがそれについて実際に反応できるような問題一つについて，1日当たり160文字で書かれている」。このキャンペーンに参加している何千人もの人々は，変化に貢献することができる実行可能な作業に毎日取り組んでいる。参加するという選択は，今日の多くのアメリカ市民が感じている一般的な無力感を和らげるとアロンソーンは考える。

デイリーアクションは，トランプ政権への反対を動員するためにリビア・テクノロジーを使って大きな成功を収めている。また，新たなキャンペーンや運動の火つけ役にもなっている。2018年2月にフロリダ州パークランドのマージョリー・ストーンマン・ダグラス高校で起きた銃乱射事件で17人の犠牲者が出たあと，同校の生徒をはじめとする全米の若者たちは，アメリカ議会に自動小銃禁止を求める圧力をかけた。乱射事件後の数週間で，デイリーアクションの努力により，全米ライフル協会（NRA）を支持する議員や企業に1万回の電話がかけられた。キャンペーンの対象となった組織のなかには，オマハ・ファースト・ナショナル銀行など，NRAとの提携を解消することを決めたところもある。

リビアの三つ目のテクノロジー，テキストメッセージの送信とターゲットに向けた電話という手段に対するフォローアップとして利用される電話からのデータ収集は，特に重要である。なぜなら，運動の指導者は，提唱・支持する目標に市民も参加しているという証拠を武器として得られるからだ。たとえば，選挙戦から政権発足の初期に至るまで，トランプはダコタ・アクセス・パイプラインに対するアメリカ中西部・スタンディング・ロック先住民保護区での抗議活動をとるに足らないものとして軽視し，この問題自体を重要ではないものとみなしていた。レボリューションのリビア・テクノロジーは，それとは逆の統計を示し，抗議活動を支持するためにどのような電話が，誰に，どのくらいの時間かけられたのかを追跡した。また，抗議活動の現場ではインターネット回線が利用できなかったので，それ補うために無料でテキストを送信できるプラットフォームを参加者に提供し，現場での調整を支援した。

トランプ大統領就任後の数週間で1万件以上の電話がかかってきたためか，ホワイトハウスは直接の意見窓口の回線を閉鎖した。これを受けてレボリューションは「ホワイトハウス・インク」と称するシステムを構築し，かかってきた電話をトランプが所有する企業や不動産，あるいは特定の議員たちへと転送することにした。メールのキャンペーンを開始したり，ソーシャルメディアの投稿に頼ったりするのに比べて，電話は政治家や企業に圧力をかけ，民主主義に必要な双方向の会話を可能にする，はるかに効果的な手段であることが示されている。

ここでのレボリューションの戦略は，運動の組織化に向けたさまざまなアプローチを融合させている。新しいテクノロジー（携帯電話アプリと登録された支援者のデータベース）と古い技術（電話）を組み合わせて，特定の公職者や機関に連絡をとる。そして，可能な限り直接の抗議活動を通じて群衆を集める。このようにして，レボリューションは複数の政策問題にうねりを起こすことができたのだ。そのなかには，安全な水，気候変動，トランプ政権のロシア政府との共謀の可能性を捜査していたロバート・ミュラー特別検察官の擁護などが含まれる。

レボリューションのチームはキャンペーンを通じて，メールやウェブサイトへの投稿よりもテキストメッセージのほうがリアルタイムでの参加へとはるかに結びつくことを学んだ。サンダースの選挙運動では，SMS（ショートメッセージサービス）のテキスト送信技術を利用して，支持者に電話作戦や討論会視聴のための集会の場所の情報を提供し，物理的に人を集めて，人々がそれぞれ適切な形で組織化できるようにした。有権者はサンダース自身からのテキストメッセージも受け取った。アロンソーンは，バーニーのテキストがいかに「非常に個人的な経験」を生み出したかを私に語ってくれたが，それは「人々がテキストに反応して行動を起こすことの力」を肯定するものだった。

レボリューションは，経済的正義のためにも同様の組織化戦略を採用してきた。私はニューヨーク市に拠点を置く独立運転手組合との取り組みを知った。このギルドは，Uber，リフト，ジュノ，ビア*1の運転手を集め，よりよい労働条件，収入，利益を求めて闘っている（第11章参照）。ここでもまた，オフラインでの組織化を活性化する手段として，オンライン技術を利用するというアプローチがとられている。

変化のためのパイプラインを開く

これまでの章で，巨大テクノロジー企業がいかに見世物や偽情報を増幅させ，ユーザーから得られるデータや注目によって繁栄する傾向があるかを見てきた。しかし，これだけがテクノロジーの運命ではない。レボリューション・メッセージングのような組織にはまったく異なった目標がある。テクノロジーを使って人々を結びつけ，変化のためのパイプラインをともに構築してもらうことだ。

バーニー・サンダースの話は，草の根のキャンペーンから始まったことが，いかに国の政治を変えることができるかを示している。私たちが政治的に右翼・左翼どちらの側に属するかにかかわらず，テクノロジーが人々に力をもたらす可能性を示している。彼らこそが民主主義における究極の指針なのだ。

メディアや2016年大統領選における支持者の間で多くの臆測が飛び交ったあと，バーニー・サンダースは2019年2月19日に2020年の大統領選挙出馬を発表した。この日までの民主党の出馬表明者（12人）は，すでにマイノリティや女性候補を含め，進歩的な有権者に2016年よりも広い選択肢を提供していた。数年前には極端で非現実的と見られていたかもしれないバーニーの考えを多くの候補者が採用していた。しかし，2016年のレースをヒラリー・クリントンに譲って以来，サンダースは「デジタルメディアの帝国」を築き続けていた。人気を集めるような動画コンテンツを制作し，効果的に活用することで，進歩的な目標を擁護し，ソーシャルメディアを活用してきた。彼は，そこですでに巨大なものとなっていたトランプ大統領の存在感に挑戦するために，ソーシャルメディアでの波及効果が必要なことを理解していたのだ。そして，バーニーがいまだに「草の根資金調達の王様」であることは間違いない。サンダース陣営は，出馬表明から24時間以内に22万5000人以上の寄付者から590万ドルという記録的な金額を集め，2020年の大統領選でも無視できない存在になることを示している*[2]。

この章では，強力なストーリーテリングとコンテンツを重視し，群衆を動員し，オンラインとオフラインのメディアを横断して機能するデジタル戦略が，今後の国内・国外の多くの選挙でインパクトを与える可能性があることを示してきた。レボリューションの創設者であるスコット・グッドスタインは，サンダースの2016年キャンペーンがすでに私たちに与えてくれたであろうことを，「適切なメッセージと実験を試みるための少額の資金さえあれば，そのメッセージが大量の人々に届くという，未来へのかすかな希望」と表現している。

---

*[1] いずれもオンライン自動車配車サービス。

*[2] サンダースは善戦したが，アメリカでの新型コロナウイルス感染の拡大もあり，2020年4月に予備選撤退を表明した。

第10章　世界のデジタル・ウォーゲーム

毎日のようにニュースでは，国内だけでなく国家間の政治操作に利用されるテクノロジーの話が流れているようだ。デジタルテクノロジーやデータがどこに向かっているのかを考えると，私たちの不安は大きくなり，その方向性をコントロールできないことから，不安はさらに大きくなる。私たちの身近にあるテクノロジーは，理解しがたい力に乗っ取られているように感じるのだ。

ケンブリッジ・アナリティカが数週間にわたってニュースを独占した理由，2016年のアメリカ大統領選におけるロシアの干渉問題がいまだに落ち着きを見せていない理由，あるいは中国とアメリカの間の潜在的な貿易戦争が，ハッキングと企業秘密に関する多くの論争を含む，両国のテクノロジー産業を中心としたものである理由も，おそらくそれで説明がつく。全容が明らかになっていないにもかかわらず，私たちはこのような漠然としたデジタルの行為についての話を止めることができない。

政治的な活動をしているノーム・チョムスキーと私が2018年3月に話をしたとき，彼はロシアのハッキングとケンブリッジ・アナリティカの最終的な影響を軽視した（第1章と第7章参照）。彼は，アメリカがテクノロジーを使って外国の政治を操作することのほうがはるかに悪いと指摘した。

私は，アメリカの複数の政権で働いてきた国際問題戦略家であり，外交問題評議会の任期つきメンバーでもあるローラ・ローゼンバーガーとこれらの問題について議論する機会を得た。彼女はオバマ大統領時代に，ヒラリー・クリントン国務長官に国家安全保障の優先事項について直接アドバイスをしていた。ローゼンバーガーは技術分野において，アメリカ政府と関係のある最も経験豊富な人物の一人といえる。中国のファイアウォールや中国が使用しているサイバーセキュリティ，国家安全保障局（NSA）のスパイプログラム「PRISM」，世界各地のサイバー部隊やハッキング活動の専門家だ。

私はローゼンバーガーに，自国であれ他国であれ国民を操作するための，テクノロジーの国際的な利用について尋ねた。これに対し，彼女はすぐに中国の話をした。

中国にインターネットがもたらされたとき，世界で最も人口の多い国が世界に開かれ，民主主義への道が開かれるだろうという期待があった。だが，この期待は一部しか実現しなかった。その理由は，中国の強力なテクノロジー企業が政府と一体となっていることだとローゼンバーガーは説明した。中国のハイテク企業は，インターネットのコンテンツが国家の監視装置をサポートし，売買，コミュニケーション，情報検索など人気のあるオンラインサービスを政府が支配するようにしているのだ。テンセント，バイドゥ，アリババは国内市場を支配しており，ソーシャルメディア，検索，電子商取引の各市場において，世界中の数十億人に影響を与えている。

この支配力をさらに活用するために，政府は数十万人の人々を，いわゆる「五毛党」に参加させている（図10.1）。この部隊の任務は，「称賛と気をそらすこと」だ。ネット上で共産党に対する否定的なコメントに反応したり,「政府を応援するような書き込み」をしたりするのだ。実際の公務員で構成される五毛党は，年間約4億4800万件のネットコメントを投稿している。

もっと不吉なのは，中国が市民から収集したデータを利用して，国民をスコア化し，分類し，組織化していることだろう。2014年政府は，約14億人の中国人から収集したデータを利用した「社会信用システム」を発表した。このシステムを説明する政府の公式文書は，明確なメッセージを打ち出している。「信用を守ることは栄光であり，信用を破ることは不名誉である」と。

社会信用システムは，ソーシャルメディア上での投稿内容や自らをどのように表現するか，個人的な習慣(タバコを吸う，テレビゲームをする)，オンラインで何を買うか，兵役を拒否したかどうかなどの要因に基づいて市民を評価している。これらの行動を評価したのち，政府は市民の「信頼

図10.1 中国の五毛党(出典：捜狐)

度」を示すための評価を「授与」し，その結果として市民が仕事を得られるか，子供を最高の学校に通わせることができるか，飛行機に乗ることができるかが影響を受ける。

中国の学校が，激しい監視と生体認証の場となっているのは恐ろしいことだ。今ではカメラが個々の表情を記録して，それぞれの表情が示す態度や感情に基づいて，生徒ごとにリアルタイムのスコアを作成している。これらを組み合わせて，クラス全体の雰囲気を「読む」こともできる。学生も教授も同様に，オープンな実践のプロセスとしての学習や実験をサポートするのではなく，このような「ブラックテクノロジー」が学生の教育や人生の経験をフィルタリングして萎縮させたり，社会的なコントロールの形で使われたりするのではないかと懸念を表明している。

中国社会全体の市民の個人データが顔認証と監視カメラによって境界線や透明性なしに組み合わされると，問題はより広範になる。2018年2月に『アトランティック（*The Atlantic*）』誌に掲載された記事によると，中国は「犯罪やテロを減らすと称して，監視カメラの膨大なネットワークが市民の動きを常に監視する」インフラを構築した。同記事の著者たちが主張するように，「ジョージ・オーウェルの小説の世界のような監視の目が拡大することで〈公共の安全〉は改善するかもしれないが，すでに世界有数の抑圧的で支配的な政府をもつ国では，市民の自由を萎縮させる新たな脅威をもたらす」。

中国のインターネットは，ほとんどのデジタル通信が制御され，操作され，国内にとどまっているため，国家サイズのイントラネットのように機能している。しかし，中国には，自国の利益を支えるためにテクノロジーを利用するほかの方法がある。ローラ・ローゼンバーガーが説明してくれたように，中国のテクノロジー企業である崑崙（こんろん）グループがGrindr（グラインダー）を買収したことで，中国政府が外国の市民，特に敵対国の市民のデータにアクセスすることができるようになった*。グラインダーは同性愛者，トランスジェンダー，クィア（性的少数者）のための出会い系アプリだ。ユーザーのほとんどがアメリカをはじめとする欧米諸国の人々であるため，崑崙グループ（および潜在的には中国政府）が入手できるデータから，個人の性的指向が明らかになる可能性がある。同様の脅威はフェイスブックにもある。同社は2018年6月に，人気デバイスメーカーのファーウェイを含む複数の中国企業とデータを共有していることを明らかにした。

中国国内において，iPhoneが高い人気を博すアップルも，中国国内にとどまるつもりなら中国のゲームのルールに従わなければならない。その一つの厄介な例が，中国人ユーザーのiCloudアカウントを，中国の新しいデータセンターに収容させろという要求であり，これにより当局が国民のデータに簡単にアクセスできるようになっている。これは，ユーザーのデータに対するアップルのこれまでのスタンスや，欧米のほかのどの大手テクノロジー企業よりも，プライバシーを保護しているという主張からは大きな転換だ。過去には，iCloudアカウントにアクセスするために必要な暗号鍵はアメリカ内に存在していた。しかし中国のユーザーにとっては，もはやそうではない。

この章で紹介したシナリオはそれぞれ，国家間または国家内で繰り広げられるデジタル・ウォーゲームにおいて，「てこ」の支点のような重要なポイントを示している。中国のケースでは，データであることに加え，ビジネス界と政府が親密であることから，政治的・経済的結果を形成するためにデータの利用が正当化されるという点が「てこ」となっている。このような活動は合法であり，さらにはそのなかで得られる金銭という重要な要素

---

*アメリカ当局の要求を受け，2020年3月に売却。

によって，ますます広まっている。

また，中国政府が国外へ多くのハッキング攻撃を行ってきたことはよく知られている。たとえば，アメリカ人事管理局の例では，最大2150万人のアメリカ人の個人情報にアクセスすることができた。これには，社会保障番号，氏名，生年月日，出生地，住所などが含まれていた。このハッキングは，アメリカ国家情報長官（当時）のジェームズ・クラッパーが「中国のやったことに敬意を表しなければならない」と発言したほど，巧妙に行われた。

ローゼンバーガーは，このような活動を合法・非合法を問わず，情報作戦と表現している。彼女はロシアの最近の活動と同じように，次の外国での選挙に対して中国が姿を隠したまま政治的に干渉することが，情報作戦によって可能になるかもしれないと考えている。これは，動画や音声のコンテンツを，人間の目で見ても自然に見えるような高度な方法で加工，編集，操作することを可能にするディープフェイク技術を使って達成されるかもしれない。

アメリカもまた，エドワード・スノーデンが暴露した国家安全保障局の「PRISM」のようなスパイプログラムで，敵対者，さらには自国民までハッキングしている。たとえば，イランの核開発計画を攻撃したコンピュータワーム「スタックスネット」の背後には，イスラエルと協力しているPRISMがあったとされている。

テクノロジーは，国家や企業の創設者だけではなく，市民や利用者に利益をもたらすものでなければならない。これは欧米だけでなく，世界的な問題である。企業のロビイストが資金を提供する体制の外側に存在する政治的立場や候補者を支持することは，民主主義を支持することにつながる。さらに，それは監視や社会統制の謀略に抵抗するために，私たちが利用できる抑制と均衡のメカニズムの一つである。また，私たちは「足による投票*」をすることで反対の意思表示ができる。さらに，政府やその他の怪しげな第三者にユーザーデータを渡すことを拒否するプライバシー重視のサービスやプラットフォームを要求することもできる。私たちがデジタルの世界でどのような方向に進むかによって，テクノロジーが民主主義の精神で私たちを結びつけるのか，それとも私たちを分裂させ，操るのかが決まるのだ。

*望ましいサービスに集まったり，好ましくないサービスを利用しないように退出すること。

第3部

ギグエコノミーのブルース

企業の利益か，それとも人々の賃金か？

第11章　雇用と生活のディスラプション

2018年2月5日，ニューヨークの登録タクシードライバー，ダグ・シフターが市役所前で自殺した。そのわずか数時間前，彼はフェイスブックへの投稿でデジタル・ギグエコノミーのなかで生き残るための苦闘について説明し，こう述べていた。「企業が……儲けを勘定している間に，私たちはストリートに追いやられ，家を失ったり飢えたりしながら運転している。小銭のために働く奴隷にはなりたくない。まだ死んだほうがよい」。

ディスラプション（破壊，混乱）は，テクノロジーの世界では画期的なイノベーションを意味するバズワードだが，テクノロジーの転換に左右される仕事をしている人々の生活にしばしば悪影響を及ぼしてきた（174ページ図11.1に示したシフターと同じドライバーたちの写真を参照）。シフターがドライバーを始めた1980年代の勤務時間は週40時間だったが，市当局がUberやリフトの車両に対して道路を開放することに同意した結果，2018年には週100時間以上働いていた。残念ながら，残業をいくらしても，これらのハイテクプラットフォームが生み出した経済的困難から抜け出すことはできなかった。

図11.1 2018年，ダグ・シフターを追悼するタクシードライバーたち。彼らは不当な労働条件に抗議するために組合を組織した（出典：ブラックカーニュース）

シフターの死から5カ月の間に，仕事に関連した苦闘への絶望が原因で，ニューヨーク市のタクシーなどの職業ドライバー5人が自殺した。これらの話は，新しいテクノロジーが引き金となって自殺が続発することが新しいことでも珍しいことでもないことを思い出させてくれる。たとえば，モンサント社が遺伝子組み換え種子を導入して綿花の種子市場を商業化し，独占するというテクノロジーのディスラプションの結果，インドでは過去20年間に30万人以上の農民が自殺した。

2016年には，約1万3000台のタクシーがニューヨークの街を走っていた。しかし，Uberやリフトのような企業の出現で，現在では配車サービス全体の車両数は10万台以上だ。ニューヨーク市は伝統的に，タクシーの供給と乗客の需要のバランスをとるため，業許可証の数をコントロールしてきた（許可証を購入することで，個人ドライバーは車両を保有・営業でき，免許をもったドライバーを雇うこともできる）。しかし，Uberやリフトでは，ほとんど誰でもがドライバーになれる。新規の未登録ドライバーが大量に増えると，競争が激化し，賃金や仕事が脅かされる。その結果，登録し組合にも加入している多くのタクシードライバーは，自らの賃金が下がり，労働時間が増えるのを目の当たりにしてきた。

Uberとリフトは，交通事業と思われがちだが，一義的にはウォール街のバックアップを受けたテクノロジー企業である。彼らは利用者のために効率化を約束し，登録を受け免許を取得した市のタクシーよりも料金を安くしている。それは消費者にとってすばらしいことだが，労働者にとっては話は別だ。シフターのような伝統的なタクシードライバーは苦境に立たされている。たとえば，2018年5月に自殺したドライバーの一人は，営業許可証を購入するため3年前に70万ドルを借りていたが，返済を続けられなくなっていた。しかし，Uberやリフトなどのライドシェア会社のドライバーも危険な状態にある。彼らの賃金は驚くほど低く，福利厚生もなく，団体交渉をする能力もない。

一方で，ハイテク企業は恩恵を受けている。彼らは交通システムを「ディスラプト」しながらも，不安定なデジタル・ギグエコノミーのなかで労働者に基本賃金以上のものをほとんど提供していない。その結果，一般の人々は彼らのサービスにますます依存するようになり，彼らの企業価値は上昇する。

国や州，市の当局が許さなければ，このようなことは不可能だったはずだ。労働者は傷つき，当局が本来監督し，更新するはずの公共交通システムの持続可能性は危険にさらされている。

間違いなく，Uberとリフトは，消費者が求めるサービスを，従来のタクシーサービスがほぼ時代遅れになるような価格で提供できることを証明した。そして，柔軟な交通インフラをつくるために携帯電話を利用することで，彼らは見事にそれを成し遂げた。しかし，疑問が残る。なぜ，そしてどのようにして，このような低価格を実現しているのだろうか？　大部分のエコノミストやアナリストはほとんど答えを出せていない。しかし，一部の調査によると，企業自身の支出によってユーザーの支払う価格が低くなっていることがわかっている。なぜだろうか？　彼らの戦略は，現在のような配車サービスによって利益を上げることではなく，何百万人ものユーザーから旅行や移動の詳細な情報を集め，ドライバー抜きで動く自動運転車の新たな大群を生み出すためにそれを役立てることなのかもしれない。

データはデジタル経済にとっての石油であることを思い出してほしい。だが，労働者にとってがそれが，災難と死を呼ぶものかもしれない。現状では，ドライバーとユーザーがビジネスを動かすデータと労働力を提供している。Uberやリフトは利益を得て，データをコントロールし，それを収集するための技術を所有している。

私たちは，デジタルプラットフォームが労働者の経済的安定，健康，労働条件に潜在的な悪影響を及ぼす可能性があることに敏感でなければならない。たとえば，Uberのドライバーが保険で保障されるのは，実際に乗客を車に乗せているときだけで，乗客を迎えにいくために運転しているときは含まれない。そして，彼らが実際に受け取る賃金は驚くほど低い。MITのエネルギー環境政策センターが行った調査によると，Uberやリフトのドライバーが運転から得る利益の中央値は，1時間当たり4ドル以下だ。これは，74％のドライバーが州の最低賃金以下の収入しか得ていないことを意味する。

Uberのチーフエコノミストは，自社の賃金に関するMITの客観的立場からの学術的研究に対して異議を唱えている。しかし，ギグエコノミーの力によって，責任，ストレス，苦痛が企業から労働者に移されていることは明らかだ。ハイテク企業は「ディスラプション」「イノベーション」「シェア」について語る。しかし奇妙なことに，裕福な国のほとんどで尊重されてきた労働の尊厳に関する基本的な原則については沈黙したままである。この原則には，時給や労働時間数，団体交渉やそのための組合の結成，医療やその他の福利厚生などに関して基準を設定することが含まれる。

2018年のUCLA労働研究教育センターの報告書によると，ロサンゼルスのドライバーの44％が，ガソリン代や保険料，メンテナンス代などの仕事の費用を支払うのが困難な状況にあるという。Uberやリフトで運転するために車を購入するなど金銭的な投資をしたことで仕事に縛られてしまい，借金を返済するために仕事を続けなければならなくなっているドライバーが増えているということだ。報告書によると，「透明性の欠如，曖昧で変更の多い雇用条件」により，ドライバーの約50％が，自分が稼いだはずの収入を受け取っていないように感じているという。

少数の経営者や投資家のために天文学的な金額を稼ぐデジタルの世界が，中小企業，ひいては中間層や労働者階級の人々を犠牲にしているのに，どうして私たちは平気でいられるのだろうか？　今のような状況である必要はないはずだ。

経済的正義の実現に向けて

今日，私たちにはテクノロジーを使ってイノベーションを起こすチャンスがあり，そのイノベーションを経済的に公平でバランスのとれた方法で起こす機会ももち合わせている。交通システムに関していえば，ドライバーと，彼らの仕事へのアクセスを管理するために参入してきたテクノロジー企業との関係を検証することから始めるべきだ。タクシードライバーの賃金水準と確実な福利厚生を確立し，乗客のデータを保護することが，ビジネスをより公平なものにするための第一歩になるだろう。

デジタルテクノロジーは世界中の経済を変容させている。仕事の未来に関するほとんどの予測では，自動化の巨大な波が到来しており，今後20年間でアメリカの労働市場に存在する職種の47％に影響を与えうるとされている。世界中で約4億～8億人の人々が自動化のために仕事を失う可能性があり，7500万～3億7500万人が職業を変えることを余儀なくされるかもしれない，という別の予測もある。看護師，教師，販売，経理，農業，配管工事，トラック運転，医療分野で働いているかどうかは関係ない――ロボットがやってくるのだ。このため，自動化されたギグテクノロジーを構築している0.001％の人間だけではなく，私たち全員がどのようなテクノロジーの未来を望んでいるかを議論するためにテーブルにつくことが不可欠だ。私たちが自動化を受け入れるにあたっては，移行に伴って生み出される仕事がどのようなものかを特定し，我々の世界の人々が経済的に安全を保障されていることを確認するために，きちんと目を開いて監視していることができる。

現在では，労働者の組織化の主要な手段である労働組合を過去の遺物と考えるのが一般的だ。アメリカでも海外でも組合員数は1970年代以降，着実に減少している。しかし，それがすべてではない。実際，組合は今日も生きており，デジタル経済との関係で自らの役割を再考している。労働者評議会，普遍的ベーシックインカム，その他私が論じる例と並んで組合は，公正な賃金，福利厚生，（一つの産業内だけではなく）産業全体の賃金基準，職場の安全，女性や人種的マイノリティのための賃金公平性を守ることができる方法のほんの一例に過ぎない。

今日，なぜ経済的な正義とバランスが重要なのだろうか？　それは世界が驚異的な不平等に直面しているからだ。世界で最も裕福な8人は，裕福でない50％の36億人以上よりも多くの富をもっている。アメリカでは，人口の上位0.1％の人々が下位90％の人々の合計とほぼ同額の収入を得ており，最も裕福な3人は，国の下位50％よりも多くの富を保有している。

2019年初頭の時点で，失業率はアメリカでは空前の低水準にあり，経済と株式市場の成長が皆を助けているというレトリックを活気づけていた。しかし，その主張は精査に耐えられない。アメリカでは，時給15ドルの賃金をもらったとしても，平均的なアメリカ人は寝室が一つの質素なアパートの家賃すら支払えない。現在の最低賃金（7.25ドル）では，この国のほとんどの地域において，2.5人分のフルタイムの仕事をしなければ寝室一つのアパートすら借りることができない。住宅，教育，健康管理，基本的な食料を労働者に提供できないのならば，結局のところ仕事に何の意味があるのだろうか？　労働者が安心して，給料がよく，尊厳のある仕事ができるようにすることは，私たちが今でも追求できる目標だ。しかし，それを達成するのは簡単ではなかろう。

2018年夏にアフリカ東部の国タンザニアにいたとき，Uberのサービスが「スリップウェイ（ダルエスサラームのホテル名）にも登場」と宣伝している乗り物を見て驚いた（180ページ，図11.2）。その乗り物は，タクシーでも自動車でもなく，製造しているインド企業の名から「バジャージ」とタンザニア人が呼ぶ三輪タクシーだった。グーグルやフェイスブックがオンライン上で私たちの表現やコミュニケーションを捉え，監視し，吸収しているように，あるいはアマゾンが私たちの売買やクラウドプラットフォームを介したデータ保存のプロセスを吸収しているように，Uberもまた，「捉えて吸収するビジネス」を行っているのだ。先進国の都市環境で成功を

図11.2　ダルエスサラームのUber三輪タクシー

収めてきたUberは，今や，発展途上国の交通産業にも目を向けている。

三輪タクシーは長い間，「非公式経済」*の交通手段の柱となってきた。伝統的に料金は乗車時に前もって交渉され，支払いは現金で行われている。しかし現在では，東アフリカをはじめとする発展途上国において，路上での顧客とドライバーの関係を，数千マイル離れたところにある企業が制作したアプリを通じてコントロールできるようになっている。非公式経済におけるこのようなディスラプションは，経済的交換の伝統を文化や地域を超えて脅かしている。シリコンバレーや上海の大企業は自らを媒介者とすることで，進出した場所においてその人々からの依存をつくり出し，そこから価値を引き出している。

このような介入は，搾取的で侵害的なものになる危険性がある。世界中の人々が独自の代替手段を開発し，大規模なテクノロジー企業によってつくられたシステムを適切に利用したり，回避したり，覆したりする能力を考慮に入れたとしても，戦いの場が対等なものではないことを認識しなければならない。人為的な低価格で顧客をおびき寄せ，それによって依存を生み出し，競争相手を打ち倒すという戦略は，Uberにとってはうまくいっている。このような戦略に長く対抗できる小規模企業はほとんどない。2019年2月現在，年内に予定されている新規株式公開（IPO）を控えたUberの評価額は900億ドル弱で，2018年の720億ドルから上昇している。その数字は1200億ドルにもなると予測されていたとはいえ，投資家はUberが国内および世界の交通市場を支配でき，もしかしたら，収集したデータを利用して自動運転車業界をリードすることもできるかもしれないと信じている。

●ギルドや組合はどのように変革を推進したか

多くのライドシェア労働者,そして一般的にギグエコノミーの労働者は,別の仕事をもっている。しかし，このような仕事のパートタイム化は危険だ，とドライバーの組合を組織したビジュ・マシューは言う。つまり，強い労働者保護や企業規制のない場所では，ギグワーカーが何時間働こうとも，雇用主はフルタイムの仕事なら得られただろう利益からギグワーカーを排除することができるということだ。これは，ギグワーカーが独立した請負業者として扱われることが多いためである。さらに，ギグエコノミー

---

*公式経済部門と違って，課税されず，国内総生産などの統計にも表れない経済部門。

の労働者は，それを実行するのにかかった時間ではなく，やった仕事に応じて支払われ，最低賃金が保障されていない。そのため，労働者に柔軟性と仕事へのアクセスを約束するテクノロジーは，かなりの量の不安ももたらすかもしれない。

ニューヨーク・タクシー労働者同盟の事務局長であるバイラビ・デサイは，1997年から労働者のリーダーを務めている。ダグ・シフターの自殺の1年ほど前，彼女はドライバーたちへの極度の経済的，心理的なプレッシャーについて公言し，彼らがそれに対処するための長期的な能力に危惧を示していた。「私の心の半分は押しつぶされている。そしてもう半分は燃え上がっている」。デサイは，ニューヨーク市の約7万人のドライバーを代表する個人ドライバーギルド（IDG）との活動を開始した。IDGは，過去2年間に組合員のためにいくつかの立法上の勝利を勝ち取っており，労働者が反撃できることを示している。たとえば，2018年8月にニューヨーク市議会は，アプリベースのドライバーに関する賃金率を義務化し，新しいライドシェア車両の営業許可を制限することで合意した。

ギルドはどのようにしてこれを成し遂げたのだろうか？　リビアのテキストメッセージ通信技術（第9章で説明）を利用してドライバーを集めたのだ。多くの人が別々の場所で長時間運転していることを考えると，ほかの方法では不可能だった。Uberは2017年7月まで顧客からチップを受け取ることを認めていなかったが，ドライバーらと支援者らが電話，テキストメッセージ，ソーシャルメディアのチャンネルを使って反発した。2018年6月の時点で，IDGは「ブラックカーファンド」のおかげで，州全体で推定4万3000人のドライバーのための福利厚生パッケージを獲得することができたが，これはUberやリフトではなく，顧客の支払額に2.5％を上乗せすることで賄われた。

ギルドは今，全ドライバーの最低賃金率設定を推し進めようと努力しているが，これにより推定37％の賃上げとなる。ギルドが提出した請願は，市内のライドシェアドライバーに関連して，驚くべき統計を提示している。この請願では，ドライバーが現在受け取っている額が最低賃金より低いことを証明するだけでなく，労働者が平均11時間労働していることも指摘されている。それにもかかわらず，労働者は経済的に恵まれていないと報告している。ほとんどの労働者の世帯収入は年間5万ドル未満で，その半数以上がわずかな収入で18歳未満の家族を養わないといけないことに苦労している。

• NGO，運動，立法，裁判所

2018年，NGOである全米雇用法プロジェクト（NELP）は，ニューヨーク市の「Uberとリフトのドライバーの賃金基準に関する全米初の提案」を検討するための報告書を発表した。NELPの労働構造プログラムのディレクターであるレベッカ・スミスは，次のように結論づけている。「Uberやリフトのような企業は銃産業やタバコ産業のような強硬手段を使って，政治的影響力を金で買い，消費者やドライバーの保護を意図した地域の政策を回避したり，無効にしたりしてきた」。報告書の調査結果からスミスはこう述べた。「Uberのドライバーが独立した請負業者ではなく従業員に分類されていれば，Uber一社でニューヨーク市最大の営利目的の民間雇用者になるだろう。ニューヨーク市におけるUberの利益は，その運営コストのなんと600％にも上る。これらの企業は明らかに生活できるだけの賃金を支払う余裕があるにもかかわらず，そうしないことを選んでいるだけなのだ」。

ほかの州は，デジタル・ギグエコノミーによる仕事の拡大により，最低賃金制度の対象外になる労働者が増えるという懸念に対応している。2018年4月にカリフォルニア州最高裁判所が出した判決は，ハイテク企業が，働いているのは独立の請負業者であり従業員にはあたらないという理由で州の最低賃金制度の適用を免れようとすることを，極めて困難にするものだった。しかし，企業も反撃している。リフト，Uber，ハンディ，タスクラビット，ポストメイツ，ドアダッシュ*などは裁判所の判決が「イノベーションを阻害する」と警告して州の政治家に訴えているのだ。

アメリカ国外ではどうだろうか？　ここ数年，いくつかの国は，ライドシェアやその他のギグエコノミー・アプリに対する規制を強化することにより，挑戦を始めている。その一つの顕著な例が，ロンドン交通局（TFL）だ。同局は，Uberが「〈適切な〉民間配車事業者ではない」との理由で，ロンドン市内で営業するUberのライセンスを更新しないことを決定した。TFLは「犯罪行為報告への対処やドライバーの身元調査の実施など四つの懸念事項を挙げた」。また，2014年以前はUberに制限を設けていなかったシンガポールでは，Uberのドライバーに陸運局への登録とタクシードライバー職業免許の取得を義務づける新法が施行された。また，新法では，ライドシェアアプリが顧客からの苦情対応，価格，料金情報を記載し，予約前に目的地情報を開示しないオプションを乗客に提供することも規定された。

タクシー協会にとって画期的な勝利となったのは欧州司法裁判所が2017年にUberを交通サービスとみなし，アプリをタクシーサービスと同じ規制の対象とする判決を下したことだった。この判決はUberにとって大きな後退となった。Uberは自らを「情報社会サービス」に分類することを主張し，適用される規制の負担を軽くしようとしていたからだ。

多くのアプリベースの労働プラットフォームは，伝統的な産業のなかでの人々の働き方を劇的に変えているにもかかわらず，それらとは別の「テクノロジー」企業として自らをブランド化している。ギグエコノミーのハイテク企業はしばしば，中立的で効率的な資源の提供者として自らを宣伝している。彼らが提供するサービスは，私たちが互いに提供し合っている住宅，運転，労働を結びつけることで効率を高めるだけだと主張している。そのようなイノベーションの成果が，経営者や投資家，そして消費者ではなく，環境や労働者，そして彼らの生活に利益をもたらすのであれば，その主張はもっともである。しかし，EUの裁判所がUberの件でそうしたように，もっと深く考えてみると，効率を高めるという約束はうまくいっていないことがよくわかる。ニューヨーク市を拠点とする最近の調査では，Uberとリフトの相乗りサービスは自動車の所有を減らして交通をより効率的にするどころか，交通渋滞を助長して乗客を公共交通機関から遠ざけていることが明らかになっている。

上記の例が明らかにしているのは，ギグエコノミーの不安定さを補おうとして，中産階級と労働者階級の人々がより少ない賃金のためにより多くの時間を仕事に費やすというデジタル経済の不穏な軌道を，政治的な意志と努力によって変えることができるということだ。シリコンバレー自体では，シリコンバレー・ライジングのような労働運動団体の努力のおかげで，ハイテク企業が下請けにしている何千人もの警備員が，賃上げのための労働組合契約に合意している。皮肉なことに，これらの警備員のなかには，自らがホームレスなのに，ほかのホームレスが企業のオフィスの近くに居着かないようにする職務を遂行している者もいたという。おそらく組織化の力は，彼らの経済的安定を高めるのに役立つはずだ。

アプリベースの経済を規制する

ライドシェア・プラットフォーム以外にも，多くのアプリサービスが抵

*いずれもギグエコノミーのプラットフォーム。

抗を受けている。パリ，ベルリン，そして特にバルセロナのような観光地では，ホテルとして登録されない限り，家主の立ち会いなしに物件を丸ごと借りることが違法とされている。特に家賃相場が上昇している都市では，家主が正規の居住者より観光客に短期的にアパートを貸したほうが収益を多く上げることができるため，Airbnbは世界中で大きな論争の中心となっている。パリの家主たちは，政府の取り締まりにより，多くが年間120日という法律で定められた日数をはるかに超えてアパートを貸していたことが判明し，最大2万5000ユーロの罰金を科された。フランス全国でAirbnbに登録されたアパートの44％は，一年中レンタル可能となっていた。そしてベルリンでは，2016年に可決された法律により，家主は入居者がAirbnbを通じてアパートを転貸しているのを見つければ立ち退かせることができるようになった。この法律は，ベルリン市政府の承認を得ない短期賃貸を禁止した。

いくつかの都市，州，国は，民間企業の権力の影響を，国民の利益を目的とした措置で相殺しようとしてきた。最も物議を醸しているのは「人頭税」である。2018年5月にシアトルで，市議会がいわゆるアマゾン税を可決したときに何が起こったかを考えてみよう。この税は，シアトルに本社を置く大企業（小売りハイテク大手のアマゾンが圧倒的に最大手）に，正社員一人当たり年間275ドルを支払わせるものだった。これらの税金は，企業により立ち退かされ混乱させられた多くのホームレスの人々のために，手頃な価格の住宅やサービスを提供するために使われる（アマゾン一社だけでも800万平方フィート以上の不動産をオフィススペースにしている）。しかし，市議会は1カ月後にこの税を廃止することを投票で決めた。アマゾンは市に対して，多くの雇用が見込めるような事業拡大をやめると脅し，一部の議員は増税のために企業進出が減ることの長期的な影響を懸念して屈服したのだ。この立法が政府や規制機関に促すのは，以下のような適切な質問をすることだ。市の既存の人口に大規模な悪影響をもたらす可能性を考えると，ハイテク企業がもたらす経済成長と雇用をどの程度重視すべきなのか？　また，そのような破壊の影響を引き受ける適切な対象をどのように決定するのか？

上記の例は，Uber，Airbnb，その他多くのアプリベースの「仕事」のプラットフォームが，私たちの都市の構造，つまり私たちが仕事をし，生活し，商品やサービスを交換する方法をいかに変えているかを示している。これらの企業は自分たちを媒介者と考えており，たとえば，余分なベッドをもっている人や車を利用できる人を，それを欲しがる人と結びつけている。彼らはほとんど何も所有しておらず，自動化された技術を使ってほとんど誰も雇わず，それによってコストや間接費を可能な限り最小限に抑えている。

テクノロジーの経済への影響がますます顕在化していくなかで，運動家，政府，テクノロジー企業の間で押したり引いたりの関係が続くことになるだろう。ほとんどの分析では，ヨーロッパや北米では現在，仕事の約25～40％がギグエコノミーに関連していると結論づけられているが，問題を複雑にしているのは，これらの研究では考慮されていない，伝統的なギグエコノミーの労働者が存在するという事実だ。これにはたとえば，デジタルプラットフォームやアプリを使わずに，路上や紹介で雇われた労働者も含まれる。ギグエコノミーの重要性の高まりによって，ヨーロッパでの活発な議論を呼んでいるのがフレキシキュリティだ。これは仕事が本質的に変容していくものだということを前提に，労働者に収入や福利厚生の面で普遍的なセーフティネットを保障する一連の政策だ。

欧米以外の国では，ギグエコノミーはさらに拡大しており，人口のかなりの割合が「非公式」または無登録の労働市場に落ち込んでいる可能性が高い。ギグエコノミーのデジタル化が進むと，これらの人口が生体認証技術，デジタルバンキング口座，社会保障番号などを通じて政府の追跡・監視を受けるようになり，非公式経済が脅かされ，統制される機会となる。

いくつかの予測では，新しいテクノロジーによって今後の仕事は，独立した，柔軟な，「偶発的な」カテゴリーへと押しやられていくだろうという。そこではそれぞれの仕事の姿も，不安定で一時的であり，定期的に予定されないといった性質で大まかに規定されるようになるだろう。しかし，これが労働者の立場の保障，あるいは世界中の市民の全体的な経済的保障にとってどのような意味をもつかについては，ほとんど担保されていないように思われる。

アメリカでは，労働と経済の保障についての将来を，政治プラットフォームの中心に据えて直接議論している議員は少ない。しかし右派ポピュリストからは，移民や雇用のアウトソーシングに対する批判という一撃が加えられた。ドナルド・トランプが2016年の選挙公約で掲げた，アメリカの過去の栄光を復活させる「アメリカをもう一度偉大な国に」はよく知られた例だ。このキャンペーンとそれによって当選した大統領は，「偉大な」時代という言葉で何を指していたのだろうか？　おそらくは，移民やアウトソーシング，グローバル化したサプライチェーンが経済のグローバリゼーションによって促進される前の時代であれば，いつでもよかったのだろう。しかし，MITの経済学者フランク・レヴィによると，労働のグローバル化より，自動化がもたらす影響のほうが大きい。レヴィは，2024年までにアメリカでは，7万6000人のトラック運転手の仕事，21万人分の組み立て作業，26万人のカスタマーサービスの仕事が一掃されうると予測している。

本章の冒頭で強調したように，今日，私たちはテクノロジーを使ってイノベーションを起こす可能性を秘めているし，そのイノベーションを経済的に公平でバランスのとれた方法で起こす機会ももち合わせている。次の章では，将来の仕事の（そして労働者のための）バランスと公平性を確保するためのさらなる方法を探る。

第12章　仕事と労働者を守る

産業革命以来，資本と労働の緊張関係は，人間と機械の関係によって刺激されてきた。これを最も単純な形で見てみよう。企業の観点から見れば，労働の対価を少なくすることは資本の節約になる。しかし，人間の視点から見れば，労働者の賃金が減ることは，賃金の損失以上の代償をもたらすことになる。このような経済的な課題は，デジタル・ギグエコノミーのなかにおいて，以下のような二つの価値観の間の争いとして明確に存在している。(1)できるだけ多くの富を蓄積すること，(2)より経済的に平等な社会を目指すこと――である。

デジタル・ギグエコノミーへの移行に伴い，労働者にもたらされる代償とは何だろうか？　本当の意味で労働者を守るためには，どのようなメカニズムを導入すればよいのだろうか？　お金を稼ぐことと労働者を守ることは互いに排他的な目的でなければならないのだろうか？

この章では，まず労働者が団結するための主要な手段である労働組合の変化のダイナミクスを検証し，次に契約労働者の権利と自動化が企業や労働者に与える影響を見て，これらの疑問に対する答えを探っていく。

労働組合の全体像

近年，労働組合が弱体化するとともに，労働者の力は低下している。これは世界各国で起きていることだが，特にアメリカでは顕著だ。どこを見ても，労働の力の衰退がテクノロジーの劇的な変化と相まって，労働者に深刻な脅威を与えていることがわかる。傾向は明らかだ。人口の大多数がほとんど力をもたないデジタル経済に向かっているのである。

アメリカでは，政治家と裁判所は，労働運動がかつてもっていた影響力を剥奪してきた。たとえば2018年5月の最高裁の判決（賛成5，反対4）では，クラスアクションを通じて労働者が連邦労働法に異議を唱えることを禁止する仲裁条項を雇用者が使用することを認めている。リベラル派の判事ルース・ベイダー・ギンズバーグは，この判決を「甚だしく間違っている」とし，「脆弱な労働者の福利を促進するために設計された連邦および州の制定法の大規模な過小執行」につながると述べている。

これは，歴史上すべての労働運動の中心にあった集団行動と交渉権にとって大きな後退である。この判決により，市民権に関する多くのクラスアクションが抑制される可能性がある。第一に，性的暴行やハラスメントを終わらせるために組織化された#MeTooやほかの運動によってつくられた勢いを鈍らせる可能性があり，第二に，個々の従業員と，弁護士を雇うための豊かな経済力をもつ雇用者との間で大きな力の不均衡が生じる可能性がある。

ちょうど1カ月後の2018年6月，同様の最高裁判決は，教師，消防士，警察官といった公務員による公共部門の組合は，非組合員に対して組合費を納める義務を課すことができないと宣言した。これにより労働運動は，組織にとって重要な収入源を遮断されるという打撃を負った。保守派の活動家たちは長い間この結果を追い求めてきた。それは公共部門の組合が，経済規制を支持するリベラルで進歩主義的な姿勢を示す傾向にあるからだ。しかし最高裁は，政治的に反対意見をもっているかもしれない組合に組合費を支払うよう義務づけることは，憲法修正第一条で定められた言論の自由の権利を侵害するとの判決を下した*。

ヨーロッパや北米以外の地域ではどうだろうか。南アフリカでは，労働環境の変化が全国鉱山労働者組合の影響力をむしばみ始めている。組織の貧困層に属する黒人未熟練労働者の多くが，さらに不利な状況に置かれているのだ。歴代の保守政権が労働者の積極的活動を妨害したため，日本でも労働組合の組織率は1950年代の55％から2015年には17.4％にまで低下している。2018年には，日本最大の労働組合である東日本旅客鉄道労働組合において，多くの組合員の反対を押し切って組合幹部がストライキを発表した。だがその後，労使交渉でストライキを回避したにもかかわらず，組合員の70％近くを失った。世界の富裕国では，グローバル化と製造業への圧力が人々を組合参加から遠ざけている。

しかし，まだ闘いは終わっていない。組織率が低いにもかかわらず，多くの組合は戦略的に前進を獲得してきたのだ。たとえば日本の組合は，2018年だけで大幅な賃上げを実現した。トルコでは，組織率はまだ低いままだが，労働争議に対する意識は過去15年間で徐々に高まっている。

• アメリカの労働者のリーダーたちが変革を提唱する

私がその国の組合指導者と最も多く接触できたのがアメリカであり，労働者問題を調査するために，アメリカ労働総同盟・産別会議（AFL-CIO），トラック運転手組合（チームスターズユニオン），サービス従業員国際労働

* 労働者には組合への加入義務がないが，団体交渉や苦情処理などの利益を受けることの対価として組合費を支払う義務を負う制度をエージェンシー・ショップ制といい，当時のアメリカでは公共部門の組合について認められていた。

組合，アメリカ教員連盟，通信労働組合など，アメリカで最も著名な労働組合の役員20人以上に話を聞いた。これらのインタビューのなかで，私たちは労働者と労働者組織の変容について議論し，労働者の権利と価値観を尊重しながらデジタル経済に到達する可能性を探った。

ギグエコノミーと自動化に関して，組合運動の指導者たちは先頭に立つために何をしてきたのだろうか？　彼らや私たち全員はどうすれば，テクノロジー産業が労働者やユーザーを尊重して奉仕し，説明責任を果たすようにすることができるのだろうか？

私が議論した労働運動のリーダーたちが共通して抱えていたテーマは，テクノロジーと労働者の福利が必ずしも緊張関係にあると考えるのではなく，テクノロジーがどのようにして労働者たちの目標をサポートすることができるのかを考えることだった。

まず，テクノロジーと労働者の対話で最も注目されている人物の一人であるデビッド・ロルフを考えてみよう。サービス従業員国際労働組合（SEIU）の国際副会長として，ロルフはシアトルでの「ファイト・フォー・フィフティーン」キャンペーンを成功に導いた。シアトルは，全住民を対象にした時給15ドルの最低「生活」賃金を採用した最初の市となった（2021年までに段階的に導入される予定）。多くの社会変革の形態と同様に，この法案を制定するためには，何年にもわたる協調的な努力が必要だった。カリフォルニア州やニューヨーク州が同様の法律を採択したことで，「ファイト・フォー・フィフティーン」の取り組みは全国に響き渡った。このような取り組みの成功を受けて，ロルフは，地域や状況を戦略的に選んで労働者のために闘う「セクター交渉」のより強力な提唱者となったのである。

しかし，自動化やデジタル・ギグワークに関しては，「ファイト・フォー・フィフティーン」が必ずしも労働者の保護を保証するとは限らない。実際，ロルフは「組合を結成して団体交渉をする能力は，93％以上の民間企業の労働者には手が届かない。これが理由となって，経済が成長して金持ちが豊かになっても，働く人たちは40年もの賃金低迷を経験してきたのだ」。これらの問題をギグワークに照らして考えると，最低賃金法は必ずしも独立した請負業者を対象としていないという事実に気づく。

では，どうすればよいのだろうか。ロルフは，テクノロジー自体が労働側の主張を支えることができるようなアプローチを提案している。尊厳のある，保護された，公正な仕事の価値を強化するような方法で，革新し，設計し，構築することができるならば。ロルフはテクノロジー企業を労働者の敵とみなすのではなく，ことの原因は労働者が組み込まれているトリクルダウン経済システムにあると非難している。たとえば，UberのCEOは2018年1月に，ビジネス，労働運動，政府のリーダーへの公開書簡を発表した。この書簡にはロルフとベンチャーキャピタリストのニック・ハナウアーが共同で署名した。以下の書簡からの抜粋は，ロルフの主張の要点ともいえる。「アメリカの社会保障システムは，20世紀当時の非常に異なる経済のために設計されたものだが，今日の労働には追いついていない。基本的なレベルでは，仕事中に怪我をしたり，病気になったり，退職の時期になったりしたときに，自分や自分の愛する人を守るための選択肢が皆にあるべきだ」。書簡は，ポータブルな給付金制度の基礎となるものとして，柔軟性，普遍性，革新性，そして何よりも行動への共通のコミットメントを挙げている。

しかし，この書簡はいくつかの批判を集めている。たとえば，ニューヨーク市タクシー連合のバイラヴィ・デサイはこう反論している。「経営側に自らを売り渡すことは革新的ではなく，資本主義と同じくらい古いものだ」。では，ハイテク企業が譲歩するとすれば，どのようなものが労働者のために役立つのだろうか。たとえば，独立した請負業者の労働力が，福利厚生の保障なしに拡大し続けることは許容できるのだろうか？

アメリカ家事労働者同盟（NDWA）のソーシャル・イノベーション・ディレクターであるパラク・シャーは，ロルフのアイデアに対して微妙に異なるアプローチを提案している。それは，オンデマンドの労働者が仕事の分配プラットフォームと効果的に交渉できるようにするアプリの設計だ。彼女は，家事労働がオンラインプラットフォーム上へと移行することは本質的に悪いわけではなく，基本的な賃金水準の設定のような規制さえ「非常に困難だった市場に規範を生み出すことのできる，信じられないほどよい機会」になると考えている。これまで組合をつくってこられなかった家事労働者のために，大手オンラインプロバイダーとの相互関係がつくられれば，公正な雇用とはどのようなものかを示す基準が初めて生み出されるだろう。シャーは，クリントン・グローバル・イニシアティブ[*1]の支援を得て，家事労働のための最大のオンラインプラットフォームであるケア・ドットコム内に「公正なケアの誓約」を立ち上げることで，このアイデアを実行に移した。これまでにケア・ドットコムのサービスを利用する15万世帯が誓約に署名し，家庭で働くベビーシッター，家政婦，介護士の仕事において「公正な給与」「明確な予定」「有給休暇」の三つを確保することを約束した。

シャーは，この種の誓約をシリコンバレーでさらに広げていくことができないかと思っている。彼女は自身を労働運動のなかで最も楽観的な一人，多くのハイテク企業の創業者たちと楽観主義を共有しているはずの人間だと考えている。しかし同時に彼女は，技術的，社会的，経済的にこれらの企業のイノベーションに対する考え方を変えるという課題があることも認識している。これまでに12社のハイテク企業がNDWAの「よき仕事の規則」に署名しており，オンラインでビジネスを行う企業が労働者のニーズに基づいてよい仕事を定義するために使用できる八つのポイントからなる倫理的枠組みを支持している。

「よき仕事の規則」の一つの派生物として，Airbnbが「生活賃金の誓約」を発表したことがある。このプラットフォームと契約するアメリカ国内の家主に，個人の清掃業者に時給最低25ドルを支払うことを約束するよう求めるものだ。Airbnbはすでに自社の従業員に時給15ドルを支払っており，2020年までに「相当量の仕事」を提供している請負業者やベンダーにも同額を支払うことを約束している。しかし，同社はこの「相当量」が何を意味するのかを定義していないため，宣言が全体的にもつインパクトは損なわれている。

労働界におけるもう一つのアプローチは，労働組合の外からテクノロジー企業に大きな圧力をかけるために個人を集め，一種の起業支援ファンドを設立することであろう。『タイム（*Time*）』誌が2017年の「パーソン・オブ・ザ・イヤー」に選んだ「沈黙を破る者たち」（または内部告発者）は，#MeToo運動を立ち上げ，今では女性への虐待やハラスメントの長年の蔓延（まんえん）を暴露している。労働者の運動は，この強力な社会運動と相乗効果を発揮することができるのだろうか。SEIUの元イノベーション・ディレクターのヴァスーダ・デシカンは，その可能性が高いと見ている。彼女は2018年のゴールデングローブ賞の例を教えてくれた。メリル・ストリープ，エイミー・ポーラー，アメリカ・フェレーラ，そしてほかの5人の俳優が，NDWAとレストラン・オポチュニティ・センター[*2]の数人のリーダーを同伴し，彼らにスポットライトを当てたのだ。

別の業界では，アメリカとカナダで最大の組合の一つであるチームスター・ユニオンの政治局長であるダグ・ブロックの見方を考えてみよう。ブロックはほかの組合との協力や環境・人権問題に取り組んできたが，現在

---

*1 クリントン元大統領が設立したフォーラム。

*2 レストラン労働者の権利擁護団体。

はカリフォルニア州のトラック運転手と頻繁に接触している。彼は私に，労働者の未来ではなく労働の未来を議論してしまう傾向が我々にあることへの懸念を伝えてきた。それではまるで，実際に仕事をしている我々の同胞のことではなく，仕事それ自体のほうを心配しているみたいではないかというのだ。たとえば，自動化が350万人のトラック運転手の仕事を脅かすかもしれないことを考えてみよう。ブロックは，自動運転トラックを開発している人たちは，トラックを運転するという実際の経験それ自体についてほとんど知識がないと指摘している。したがって自動化が定着しても，運転手は自動運転トラックを訓練するために雇われるかもしれない。しかし，ブロックが気にかけているのはこのような短期的な話にとどまらない。トラック運転手だけでなく，タクシーやバスの運転手，建設業や工場，倉庫業，配送業，貨物輸送業，清掃業，警備業，ハウスキーピング，ホテルサービスなどの分野で働く労働者の将来の見通しを心配しているのだ。シリコンバレーからの少数の声だけが，自動化とデジタル経済についての会話を推進している，とブロックは言う。影響を受ける産業からの声が聞かれることはほとんどない。労働組合の世界のほかの多くの人々と同様に，ブロックは共感してくれるアメリカ連邦議会の何人かの議員とこのような懸念を共有してきた。そこにはカリフォルニア州選出の上院議員で2020年の大統領候補となる可能性のあるカマラ・ハリスも含まれる。

チームスターはユナイテッド・パーセル・サービス（UPS）などの大企業と協力して，現在のトラック運送業を将来に向けて変革する方法を探ってきた。たとえば，トラック運転手が自動化された車両を監督・制御したり，現在の飛行機のパイロットのように自動化システムを使って一部の時間だけ運転したりすることができる。しかし，依然として重要なのは，人間の仕事が可能な限り充実していることだ。そのためには，雇用が社会契約に基づいて構築されていることが必要である。その契約の条件は，雇用者と労働者，あるいは機械と労働者の間の協力的で敬意をもった関係を保証するものでなければならず，また，関係するすべての人に可能な限り利益をもたらす結果を目指して設計されなければならない。

これまで労働指導者の現実的で想像力に富んだ立場をいくつか見てきたが，そもそも労働者の力を衰退させたのは何だったのだろうか。

●労働組合の衰退を見直す

全米通信労働組合（CWA）の全国政治局長であるラファエル・ナバルは，現在の組合の崩壊についてより厳しい立場をとる。彼は，組合の世界の人々もまた鏡を見て反省しなければならない，1950年代以来労働運動の中心であった原則をどれほど傷つけてきたかを考えなければならない，と私に言った。実際，今日の労働組合の組織率は，公共部門で34％，民間部門では7％以下に過ぎない。

何が起こったのか？　ナバルは，どのようにして（単一勢力としての）労働組合がその「人民のため」という政治哲学への忠実さを失っていったかを説明している。労働組合は，労働を単に雇い主のためにより大きな利益と収入をかき集めるための手段としてではなく集団的な試みと理解するような，根元的で進歩的，社会主義的あるいは共産主義的なイデオロギーを備えた自らのあり方を否定したのだ。企業の利益は，「人類の核心的なニーズ」に取り組むことに関心がなく，その事実が経済的不平等の原因となっているものを深刻にしていると，私に語った。その代わりに彼が私たちに求めるのは，「グローバル資本の支配に抵抗してきた魔法の場所」に注意を払うことだ。

アメリカ最大の組合であるアメリカ労働総同盟・産別会議（AFL-CIO）の副局長であるリズ・シューラーは，組合には，自分たちが何のために存在するのかを再考し，新しいアイデンティティを提示する機会があり，人々は組合を「時代遅れで古臭く，融通が利かない」と認識していると言っている。また，「固定観念がどのようなものであれ，組合が実際に何をしているかについて人々は聞く耳をもたない」とも。

つまり，組合は時代を超えた問題に直面している。組合は企業権力に対して，単に屈するのではなく批判を声に出すことができるのか？　労働組合は，深刻な経済的不平等が労働者の権利を奪ってきたという全体像に目を向け続けられるだろうか？　組合は，自分たちが代表する少数の労働者のために，断片的な手当てだけを求めるのだろうか？

ナバルは，友人で同志であるメキシコ系アメリカ人労働者リーダーのアルマ・ヘルナンデスを紹介してくれた。2016年から彼女はカリフォルニア州内の70万人以上の労働者を代表するSEIUカリフォルニアの事務局長を務めている。農場労働者である移民夫婦の娘として，彼女はセントラルバレーの小さなコミュニティで育った。両親の激しい働きぶりを見ていたが，子供の頃，母親の組合で英語・スペイン語の翻訳者としてボランティア活動をしているなかで，両親の仕事や家計の不安定さを理解するようになった。

ヘルナンデスは私に驚くべき事実を思い出させてくれた。カリフォルニア州の経済は2018年に世界第5位にランクされているにもかかわらず，この「リベラル」な州の貧富の差は貧困率とともに拡大するばかりである。イギリスやロシアといった同規模の経済をしのぐことを可能にした巨大な富をカリフォルニア州にもたらした原動力は，すべての人に恩恵を注いできたわけではない。その経済的パフォーマンスを生み出したのは，労働者の生産性であるにもかかわらずだ。

もちろん，カリフォルニア州の好景気の大部分は，シリコンバレーや州内のハイテク産業の隆盛にも関係している。しかし，この産業の利益と労働者の利益がどのように相互に結びついているのか，誰も理解していないようだ，とヘルナンデスは強調した。彼女はさまざまな例を挙げてくれた。たとえば，空港のホテルでは，宿泊客のチェックインに人間ではなくロボットを使うようになっている。この「イノベーション」は雇用を奪い，人間がいた場合よりも生産性が低下する可能性があるだけでなく，顧客が求める個人的なつながりを壊すことにもなる。「私たちは皆つながっていることを忘れないように，人間らしさを必要としている」とヘルナンデスは語った。顧客にしても労働者にしても，「私たちは皆，社会的な生き物なのだ」。

ヘルナンデスはテクノロジーに対して私たちをワクワクさせ続けてほしいと願っている。彼女は，私たちの想像力を未来学者やテスラのイーロン・マスクのような起業家の手に委ねることで，私たちの想像力を手放してほしくないとも思っている。彼女は現代の文化的ブランディングのなかでも労働者を位置づけられると考えている。私たち全員の経済的な幸福が相互に結びついていると考える意識があるというのだ。

アルマ・ヘルナンデスとラファエル・ナバルは，アメリカで最高位のラテンアメリカ系労働者リーダーであり，ともに40代である。労働と労働者に対する彼らの共通のビジョンは，正義と公平性をもって政治力を回復させるための物語と運動の力を信頼している。これらは私たちのほとんどが同意できる価値観である。ナバルは，この国の2大政党である民主党と共和党は，もはや働く人々を代表するものではないと主張している。その代わりに，企業の政治活動委員会（PAC）の資金を拒否する進歩的な政治運動がアメリカで成長している。これらの運動は，最終的には人民のための，人民による政府が実現するという希望を象徴している。そのような政府がなければ，私たちは「地域から（そして）トップに至るまで権力を行使して……（事実上）自分たちを崖から突き落とすような組織化システム」のなかで立ち往生することになるだろうとナバルは私に言う。

契約労働者の権利

今日，雇用の構造が変化しているため，労働者は，私たちの時代と現在の経済に特有の問題に直面している。これらの問題は，目の前で起こっているテクノロジーの変化が原因ではないにせよ，それによって増大している。たとえば，デビッド・ワイルは，『引き裂かれた職場』のなかで，21世紀の企業において，企業構造の外にある事業体や個人に活動を分散させることがいかに増えているかを説明している。

ワイルはその著書のなかで，この慣行が従業員の生活や雇用条件に与える影響を分析している。今日，一般的な家庭でさえもが，洗濯，犬の散歩，食料品の買い物など，これまで以上に多くの仕事をアプリベースのギグエコノミー・サービスに「アウトソース」する傾向にあるという。これは時間を節約し，私たちの生活を「最適化」することを目的としている。しかし，それはまた，企業内ではなく企業間の競争を激化させ，賃金の低下，福利厚生の侵食，不十分な安全衛生，そして所得格差の拡大を引き起こしている。

ギグやアウトソーシングのケースでは，多くの低階層労働者にとって「出世」の見通しはもはや現実的ではないことが調査で明らかになっている。その結果，社会的流動性が急速に失われ，多くの人にアメリカンドリームの崩壊を思わせるというもう一つの損失を生んでいる。1940年にアメリカの典型的な家庭で生まれた子供は，両親よりも多くの収入を得る確率が90％であったが，1985年に生まれた子供には50％の確率しかない（図12.1）。

経済学者のラジ・チェッティは，過去数十年間に及ぶ納税記録数百万件を研究している。図12.1は，彼の研究「衰退するアメリカンドリーム」に基づいたものだが，この研究では，子供たちは大人になってももはや親と同じだけの収入を得られないという暗い物語が語られている。彼は，このような経済的不平等の増大を，グローバリゼーション，テクノロジーの変化，教育の不足，労働力のスキルレベルの低下に起因しているとしている。これらの動きはほかのすべての国に当てはまるわけではないが，世界最大の経済国であってもその国民を潤すような進化を遂げられていないことを物語っている。また，イギリスでも同様の傾向がみられ，20代の間の収入を比較すると，平均的なミレニアル世代はそれ以前の世代より1万ドル少ないという研究結果が示されている。

名目国内総生産（GDP）と株式市場価値で測るとアメリカ経済は成長を続けている。これはドナルド・トランプ大統領が自らの成功を誇示するためにいつも使う話題である。しかし，チェッティの調査によると，この成長は大多数の人々に恩恵を与えているのではなく，むしろ積極的に損失を与えているのだ。ニューヨーク・タイムズのオピニオン・コラムニスト，

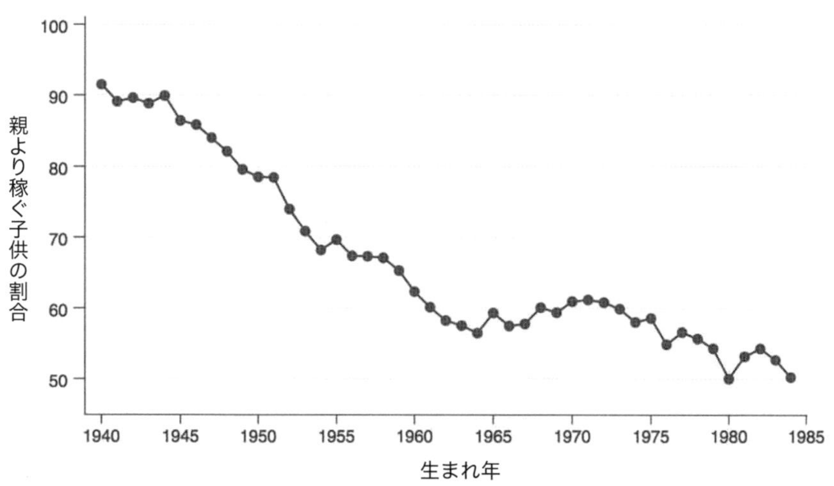

図12.1　衰退するアメリカンドリーム（出典：全米経済研究所）
生まれた年別の，自分たちの親より稼ぐ子供の割合

デビッド・レオンハートが報じているように，今日の経済は「先行きが明るい国に住んでいると自負していた多くの人々を失望させ，まったく違うことを経験させている」。

これをハイテクの世界に関連させて，コダックとインスタグラムの例を考えてみよう。ともに画像関連企業だが，インスタグラムが2012年に10億ドルでフェイスブックに売却される直前に，コダックは倒産した。コダックは数万人の従業員を抱え，デジタルカメラ関連を含む多数の特許を保有していたが，インスタグラムの従業員は13人で，特許もなかった。数万人が職を失う一方で，13人が瞬時に数千万ドルの価値をもつようになるのは問題ではないだろうか？

失業率が低いにもかかわらず，アメリカ人労働者の80％が毎月給料ぎりぎりの生活をしていて，かろうじてやりくりしており，貯金もできない。目覚まし時計のスヌーズボタンを押すのを我慢して起床し仕事に向かっている労働者が，日々思い描く生活の質を上昇させられないのならば，仕事を見つけてもほとんど意味がない。

2005年から2015年までの10年間に，純雇用の成長のうち約80～100％が代替的労務形態，つまり引き裂かれた仕事で生じた。テクノロジーは，大企業が外部の組織を見つけ連携することを容易にしたり，「ギグエコノミー」やその他の「非公式」な仕事のためのプラットフォームを提供したりすることで，仕事を引き裂くこのようなプロセスを推進してきた。その結果，人々は，これらのプラットフォームを介して1時間や2時間の余分な仕事を得るだけではない。むしろ，これらのプラットフォームは，それを保護するための法整備がないまま，経済的な圧力の下で活動する全体的な労働を生み出しているのである。ワイルの指摘では，「雇用関係の根本的な変化により，執行のためのアプローチを見直すことが必要だ」。多数の脆弱な労働者を雇用している経済の主要部門がどのように機能しているかを理解し,「そして，それらの洞察を執行のための戦略指針としなければならない」。

自動化へのステップ

ギグエコノミーは，完全自動化された世界に向けた段階的なステップの一つなのかもしれない。その次の段階では，Uberがドライバーなしになり，ドローンが荷物を配達し，ロボットが工場で働き，小売店のレジを動かし，レストランで食事を出すようになるだろう。トラックの運転手や農業労働者は職を失い，アルゴリズムが人材管理や金融サービス，株式分析の仕事をすることになるだろう。これらの自動化された技術はいずれも，労働者の利益ではなく，民間企業が自分たちの利益のために設計したものである可能性が高い。自動化に向けて企業側に立った論理を適用することにより，国民の大多数，ブルーカラー・ホワイトカラーを問わず，自分たちの生活が劇的に書き換えられようとしている人々が事実上忘れ去られることになる。実際，最近の研究では，今後20年間のアメリカにおけるさまざまな種類の仕事のうち47％が自動化によって失われると予測されている。経済学者であり，クリントン政権の元労働長官であるロバート・ライシュは，アメリカの雇用の約30％が将来的に自動化によって失われるだろうと推定している。この数字はほかの国でも似たようなものだろう。

なぜだろうか？　その答えは，コストを下げることによってリターンを最大化することにある。この目的は何世紀にもわたって，資本と労働の緊張関係の根源である続けてきたし，デジタル・ギグエコノミーでもその緊張はすでに高まりつつある。実際，アメリカでは，製造業における1時間の人件費が36ドルであるのに対し，ロボットは4ドルである。「ロボットや自動化されたシステムが経済のあらゆる分野に浸透し始めている」と,ロボ・グローバルのリサーチディレクターであるジェレミー・キャプロンは言う。「変化のペースは本当に加速しており，それは革命だといえる」。

現在と将来の自動化の巨大な到達範囲は，肉体労働に取って代わったフォークリフトやほかの産業機械のような，以前の形態とは一線を画す。今日の自動化は，AI技術の活用により，非産業分野や農業分野のさまざまな認知的・精神的労働にまで及んでいる。このように新しい分野へのシフトが進むなかで，自動化テクノロジーは人間の労働の監視・管理にも拡大する可能性がある。たとえば，アマゾンが2018年に特許を取得したリストバンドは，「超音波の音のパルスと無線通信を発して従業員の手がどこにあるかを追跡」し，振動を利用して「作業者を誘導」して効率化を図るものだ。「彼らは人間を機械に変えようとしている」と，あるアマゾンの労働者は『ニューヨーク・タイムズ（*The New York Times*）』紙の記者に語った。「ロボット技術は未熟なので，それが完成するまでは，彼らは人間のロボット（として我々）を使うことになるだろう」。

経済的な安定に関してすでにぎりぎりのところで生活している多くの労働者は，非人間的なテクノロジーや職場での解決策の登場に直面して，恐怖と怒りを表現している。世界で最も多忙な港の一つであるカリフォルニア州ロングビーチの港湾労働者，フランク・ガスキンは象徴的な例だ。彼は自分と同僚の仕事を奪ったロボットのビデオを携帯電話で撮影した。自動化された平台車が通り過ぎるとき，彼は叫んだ。「自動化なんてクソくらえだ！」。

ガスキンの反応は，民間企業の支配する自動化と監視が労働と労働者のパワーからエネルギーをゆっくりと奪い去っていくという大きな変化を物語っている。これに組合の力の衰退を組み合わせれば，どれだけ多くの労働者が仕事と経済的安定を完全に失うかもしれないかがわかる。ギグエコノミーは完全な自動化への途中段階に過ぎないかもしれず，有給労働はまだ存在するもののますます不安定で無防備になっているという事実を考えれば，失職する労働者の数はさらに増えるだろう。これらの経済的不平等は，労働者の生活を害するだけでなく，皮肉なことに，資本主義の基本的な働きそのものを脅かすことになるかもしれない。結局のところ，ほとんどの人がほとんどお金をもっていないとしたら，どうやって製品やサービスを購入したり消費したりするのだろうか？　このすべての者が敗北する状況は，企業，消費者，労働者に破滅をもたらすだろう。

変革の渦中にある経済的状況を横断して仕事の未来を描こうと試みる広範な研究がなされてきた。その絵のなかでは，自動化技術の急速な導入が地平線上に長く，不吉な影を落としている。ベイン・アンド・カンパニーのマクロ・トレンド・グループによる報告書は，自動化が労働力の成長の鈍化と組み合わされたときに，どのように極端な経済状況を生み出すかを詳述している。ベビーブーム世代が引退すると「豊富な労働力」の価格は急騰すると予測する研究者もいるが，何百万人もの雇用を排除して賃金を抑制する可能性がある自動化が，それを打ち消す以上のことをするかもしれない。労働市場にかかる重圧は，家計の所得を停滞させ，仕事の性質の変化に対応できない労働者の間にスキルの格差を生み出す可能性がある。一方，ロボットやAIは，高い生産性，効率性，利便性の向上，ひいては経済成長を約束している。いつものように問題は，この成長は誰のためのものであり，その効果は何なのかということだ。

ベイン社の分析を補完するように，コンサルティング会社マッキンゼーの最近のレポートでは，全職業の約60％が，現在のテクノロジーに基づいて「技術的に自動化可能な」活動を少なくとも30％含んでいると推定している。職業が変化し，人々は生活を考慮したテクノロジーと一緒に働く方法を見つけることが必要となるだろう。マッキンゼー社は，現在の自動化テクノロジーの採用が世界経済の50%，つまり12億人の被用者と14.6兆ドルの賃金に影響を与えると計算している（中国，インド，日本，アメリカがこの合計の半分以上を占めている）。自動化は，政府，既存の経済構造，文化的価値観によって，各国に異なる影響を与える。

もし各国が国民の雇用を維持したい，あるいは少なくとも経済的に安定した状態を維持したいと望むならば，私たちと同じように，新しい仕事形態などについて何らかの解決策を見つけなくてはならないだろう。マッキンゼーのパリ支社の調査を考えてみよう。この調査によると，インターネットは1996年から2011年までの間にフランスで50万人の雇用を破壊したが，同時に別の雇用を120万人創出したという結果が出ている。これは，自動化そのものについての例ではないが，新しいテクノロジーが労働者の利益となり，雇用を脅かすのではなく，むしろ増加させる可能性を秘めていることを示している。

私たちには将来に向けた選択肢がいくつもある。教育制度を適応させ，雇用創出に焦点を当て，所得がどのように構成されているかを再考する。そして，人間が機械と一緒に働く方法を刷新するのだ。最も重要なことは，自動化についての対話に参加すべきなのは誰か，そして労働者が彼らの未来を形づくるうえで発言力をもつのかどうか，を考慮しなければならないということである。

デジタル経済は，編集可能，ハック可能，カスタマイズ可能，または再設計可能であることによって，私たちの古いシステムが脆弱であったり，変更すべきであったりする点で新しい方法を示してきた。そして，これは資本主義にも当てはまる。私たちは，多くの人を犠牲にして少数の人の富が増える世界に住みたいかどうかを考え直すこともできる。私たちの社会の問題を解決するためには労働が本質的に不可欠だという考えをしりぞけるために，この機会を利用することもできるだろう。誰もが働けるわけではないし，非人間的な形態の労働も多く存在している。私たちは，自身の価値観を発展させていくために，利益，成長，イノベーションの概念を書き換えることができる。私たちは，シリコンバレーの最高の部分を生み出してきた，美しいデザイン，創造の喜び，エレガントな問題解決の精神を利用して，ゼロサムゲームではなく，ウィンウィンの世界を構築することさえできるのだ。

労働の機械化

2016年の「レディット　何でも質問して」の会話のなかで，スティーブン・ホーキング教授は，自動化されたプロセスが人間の失業を広範囲に引き起こし，機械やロボットが労働者の身代わりになるという状況，「テクノロジー的雇用」の発生の可能性について次のように考えをめぐらせた。

> もし機械が私たちに必要なものをすべて生産するならば，その結果はモノがどのように分配されるかにかかっている。機械が生産した富が共有されれば，誰もが贅沢(ぜいたく)な余暇を楽しむことができるし，機械の所有者が富の再分配に反対するロビー活動に成功すれば，ほとんどの人が悲惨な貧乏生活を送ることになるだろう。今のところ，その傾向は第二の選択肢に向かっているようで，テクノロジーが不平等をますます拡大させている。

2018年に死去した，この宇宙物理学者は，経済格差の急拡大を避けるためには，労働者の他産業への移行だけではなく，富の再分配に関心をもつべきだと考えていた。自動化をコントロールすることで，超富裕層である機械の所有者はさらに富んでいくであろう。そして，彼らが増殖する富の共有を拒否するとしたら，私たちの世界を悩ませている不平等はさらに悪化していくだけだ。自動化がつくり出す加速力は，ある人には贅沢と余暇を，またある人には悲惨な貧困と排除を生み続ける。これは，経済学とお金だけの問題ではない。歴史上の例は，ほとんどの場合，貧困層が富や重要な保健・教育サービスから排除されているだけでなく，政治的・文化的権力の地位からも排除されていることを示している。

現状では，富裕層とそれ以外の人々の間の溝はますます大きくなっている。2017年には，世界で生み出されたお金の82％が上位1％の層にいき，一方で世界人口の下位半分は経済的にまったく成長していなかった。世界不平等研究所は，もし現在の富の不平等の傾向が続くならば，2050年までには，上位0.1％の人々が世界の中流階級全体よりも多くの富を所有することになると予測している。

これらの驚くべき数字は，過去50年間に行われてきた組織的な富の再分配の一部だ。いくつかの推計によると，アメリカで経済的不平等がこれほど深刻になったのは，南北戦争後の再建期である100年以上前の「金ピカ時代」以来である。フランスの経済学者トマ・ピケティは，このような所得格差の拡大は，不動産や株式などの資産から得られる富である資本のリターンが，経済全体の成長よりもはるかに速いスピードで増加するからだと考えている。つまり，労働者の賃金は経済の変動と結びついているため，金持ちは平均的な労働者よりも速いペースでより金持ちになるのである。このことは，経済的安定と株式市場の成長を同一視する人々が誤っていることを説明している。現実には，株式市場の価値の上昇は，この市場を構成する企業にとっての価値の増大を表しているだけである。利益を得るのは幹部や株主で，広い社会や中間階級・労働者階級では必ずしもない。金持ちに対する世界的な課税を主張するピケティは，一般的に富を生み出すことへの，特に企業がより大きな純資産を生成したいという継続的な強迫観念は，残念ながら避けられないと考えている。

ピケティとホーキングは，人間の労働者にとって代わる機械であれ，テクノロジーの革新に結びついた株式であれ，テクノロジーの転換が不平等の増大に拍車をかけるという傾向を見出している。しかし，そうである必要はない。アジア開発銀行は，「効率性や労働生産性の向上によって加速された需要の増加は，テクノロジーが誘発した雇用の減少を補う以上のものである」としている。このことは，私たちが使用しているテクノロジーと，そのテクノロジーをどのように使用しているかを評価する機会を与えてくれる。

また，どのような仕事を自動化すべきか，AIやアルゴリズム技術により責任ある形で実行できるかを慎重に検討する必要がある。研究者のサラ・T・ロバーツがCCM（商用コンテンツのモデレート）と呼ぶものの問題点を考えてみよう。フェイスブックのような企業は現在，人々がオンラインで見る情報に何らかの責任を負う方法として，CCMの作業を行う人を雇っている。CCMは，ソーシャルメディアサイトにアップロードされたコンテンツを大規模に審査し，ユーザーがサイトに追加した画像や動画，文章などの投稿が適切かどうかを判断することだ。ユーザーも，特定のコンテンツを不適切なものとしてフラグを立て，CCM担当者の審査を受けるように送ることができる。

この種の作業には，自動化されたソリューションのメリットもある。たとえば，「スキンフィルター」を使用すれば，ポルノや暴力的なコンテンツをアルゴリズムによってすばやく識別し，自動的に削除できる。しかし，現状では，CCMの労働者は多くの苦痛を経験している。なかには，仕事で選別が求められる不快なコンテンツによって，永久的な影響を受けている者もいる。CCMの自動化によって，ストレスを生むコンテンツを大量に見る必要から労働者を免れさせることができるかもしれない。

CCMタイプの労働者は，アルゴリズムを支援したり訓練したりするためにも雇われている。メカニカル・タークと呼ばれる大規模なアウトソーシング・プラットフォームを運営するアマゾンは，この人間が支援するAIを「『人工的な』人工知能」と呼んでいる。ほかの人たちは，人間が機械のために行う労働を「人間支援知能」と呼んでいる。呼び方の違いにかかわらず，ここでみられるのは人工学習をサポートする労働が一般的に低賃金であることが多いということだ。2017年のアマゾン・タークの労働者の賃金の中央値は時給2ドルである。このことは，プラットフォームの所有者や開発者の営利活動を支えている。

トラウマにもなりうるギグワークのさらなる例は，アジアやアフリカにあるコールセンターに関するものだ。多くの企業がこれらの仕事をアウトソースしており，欧米の顧客に対応するために従業員は深夜勤務で，アイデンティティやアクセントをアメリカ仕様にすることを強いられているのだ。テクノロジーによって，企業は世界で最も安い場所に労働力を迅速にシフトさせ，アルゴリズムを使って可能な限り安い方法を模索できるようになった。それにより，労働者は困難な課題に直面しているのだ。このようなデジタル経済の条件は，労働者やより多くの人々がアウトサイダーとして疎外するように設定されている。世界中で経済的不平等を拡大・強化している大規模な構造のなかで，「自由」とは単に，ギグワーカーたちがろくな賃金も支払わない仕事に就くチャンスを意味するものになっている。研究者のクリスチャン・フックスはこれらの点を説得力のある形で指摘しており，ティツィアナ・テラノヴァはデジタル経済を「ソーシャルの工場」として特徴づけている。彼女は私たちの投稿，「いいね！」「コメント」を無償の無報酬労働の一形態と同一視している。

デジタルワークの広がりは，国や地域間において既存権力との不均衡を強めているのだろうか？　研究者たちは，経済的限界にある国のデジタル労働者は，高所得国の労働者と比較して，たとえ同じ仕事をしても低い賃金にとどまる傾向が高いことを指摘している。マレーシア，フィリピン，ナイジェリアなどの国々の政府は，デジタル市場を世界の最貧困層にとっての新たな雇用創出の手段として見るようになっているが，実際はグローバルなデジタル経済の構造的な問題はそのまま残っている。世界市場の規模と範囲が，労働者の交渉能力を脅かしているのだ。モデレーションやコールセンターの例を，中国のハードウェア組立工やコンゴの鉱山労働者のようなほかの多くの例と並べることで，テクノロジー企業がいかにして世界中の仕事に影響を与え，独断的に支配する大きな力を獲得してきたかがわかる。

しかし，難しい課題はチャンスになりうる。自動化とギグエコノミーにかかわる選択が，平等で，協力的で，人道的な世界の価値観に沿ったものであるようにすることができるはずなのだ。

第13章　一生懸命働き，もっと一生懸命苦闘する

2018年5月，私はマサチューセッツ州選出のエリザベス・ウォーレン上院議員と面会する少人数のグループに加わる機会を得た。2013年に就任して以来，ウォーレンは民主党のなかで最も注目を集める上院議員の一人となった。2019年2月8日，彼女は2020年の大統領選挙への立候補を発表した。

ウォーレンは以前からウォール街や大手銀行を猛烈に批判してきた。たとえば，バラク・オバマ大統領は，2008年の大不況に対応して消費者金融保護局の立ち上げを支援するために彼女を大統領補佐官に指名した。しかし，彼女を局長に任命するというオバマ大統領の計画は，彼女が熱心な規制を加えることを警戒した共和党議員の猛烈な反対により，撤回されたのだ。

挨拶の席で話をした際，私はウォーレンに自動化とそれに関連した懸念，特に最低賃金よりもはるかに低い賃金で働いているギグエコノミーの労働者について尋ねた。このような問題は世界中で見られ，イギリスでは70万人のギグワーカーが最低賃金以下の収入しか得ていないという調査

結果が出ていると私は述べた。

ウォーレンは，ギグエコノミーはデジタルプラットフォームから始まったのではないと指摘した。実際にはかつてから，日雇い労働者や移民，その他多くの労働者階級の人々が，不安定な日雇いや出来高払いの労働に長い間苦心してきた。彼女は，1961年，彼女がまだ12歳だった頃，父親が心臓発作を起こしたという話をしてくれた。オクラホマ州の田舎にある家を失いたくないと考えたウォーレンの母親は，当時，ほとんどの女性がしていなかったことをすると決意した。家の外で仕事に就いたのだ。百貨店シアーズの最低賃金労働者として，彼女は中流階級の家族を養い，食卓に食べ物を並べ，住宅ローンを支払うのに十分な金額を稼いでいた。決して裕福というわけではなかったが，十分なものであった。問題は，今日では古い賃金交渉や労働者が福利厚生を得るというルールが，もはや99％の人たちには機能していないということだ，とウォーレンは言う。

> それはまったく違う時代のアメリカのために書かれたのだ。もし労働者階級を本当の意味で気にかける議会があるとすれば，まず雇用契約書を書き直すだろう。だから，Uberや三つの仕事を掛けもちしている人たちに何が起こっているのかを考えるたびに，現代人は私の母がシアーズで働いていたのと同じくらい一生懸命働いていることを理解しなければならない。かつてとの違いは，政府はもはや私たちの母のためにも，国民のためにも働いていないことだ。そして，私たちはこれを変えなければならない。

このウォーレンの言葉は，国民の経済的安定を保護することを放棄したほとんどの国に当てはまる。アメリカでは，失業率が2018年半ばに約10年ぶりに4％未満にまで低下したにもかかわらず，多くの人々の経済的基盤はこれまで以上に揺らいでいる。最近の研究によると，アメリカでは全体の43％に当たる約5100万世帯が，住宅，食料，育児，交通，携帯電話といった生活の基本的要素を手に入れる余裕がないとされている。一方で，2017年後半からの株式市場の成長が示すように，アメリカの大企業はこれまで以上に儲(もう)けている。

このことを念頭に置いて，ウォーレンは勤務先が変わっても引き継げるポータブルな社会福祉給付を提唱してきた。医療費給付や退職金は労働者のものであり，どのプラットフォームや企業が収入を生み出しているかにかかわらず，それは守られるべきだとウォーレンは言う。彼女は，民間主導のテクノロジーの転換が人々から仕事や収入を奪わないように，労働市場を規制すべきだと信じている。ここにウォーレンが基本的な約束と呼ぶものがある。「労働者は公平な競争の場，……いくつかの基本的な保護，……強力なセーフティネット，……そして労働条件について交渉する機会に値する」。本書を通して，私たち全員の経済的安定を支援することを意図したこれらのような提案を検討する。

EUと海外における人的資本の価値

私は第12章で，ギグエコノミーと自動化が労働者と経済的安定にもたらす危うい状況について論じた。しかし，私が結論づけたように，これらのテクノロジーの変化を終末のシナリオとして見る理由はほとんどない。労働者にさまざまな形の経済的保障を提供すること。自動化によって減らされるのではなく生み出されるだろう未来の仕事を見出すこと。そしてその仕事をするために人々を訓練すること。これらによって，私たちは先手を打てる。その過程で私たちは，労働者に配慮すると同時にテクノロジーにも，ビジネスにも配慮できると認識しうるのだ。

EUの多くの国々では，労使関係に対して積極的かつ人間中心の態度がとられてきた。その結果，企業の規制緩和や労働保護の欠如を特徴とするアメリカの風土に比べて，EUでは雇用の移転や自動化に対する不安が少ない。

たとえばスウェーデンでは，自動化は人間の雇用の見通しをなくすのではなく，労働条件を補完し，改善するための手段とする見方が一般的だ。この背景には，失業者に対する政府の資金援助や，労働組合，良好な労働条件，強力な雇用保障を支える労働関係を国家が受け入れていることなどが挙げられる。労働者と雇用者は，企業が利益を維持するためには，継続的に効率を高めなければならないことを理解している。しかし，自動化によって雇用が危険にさらされるのではなく，実際には労働条件を改善し，新たな雇用を創出する可能性があることにも同意している。スウェーデンの鉱山労働者にとって，これは，地上の制御室で快適にジョイスティックを使ってローダーを操作できるようになったことを意味する。現場に最も精通している鉱山労働者以上に，これらの技術を操作するのに適した者がいるだろうか？　まさにウィンウィンである。労働者にとっては鉱山内での危険な状況にさらされることが少なくなり，鉱山会社にとっては利益を増加させられる。さらに，従業員は高い賃金，無料の保健制度，5週間の休暇，十分な育児休暇を享受しているのだ。

なぜこのような状況になったのだろうか。その答えの一部は，ヨーロッパにおいて雇用主出資の労働者評議会が非常に効果的に機能している点にある。この評議会は，失職者に職を見つけるものだが，ヨーロッパ企業の監査委員会のメンバーであることも多く，新しいテクノロジー機器の導入，プライバシーやデータ規制，労働者の監視，業績監視などについて重要な発言権をもっている。

これらの評議会は，企業のテクノロジー関連の議論や交渉に参加することができるようになっているのだ。通常，目標は協力関係を促進することであり，職場におけるテクノロジーの恩恵を最大化しながら，労働者の職業の安定をバランスよく確保することだ。このバランスを達成するには，ほとんどの企業にとって，雇用を確保するためには企業収入を増加させ続ける必要があることを認識しなくてはならなかった。テクノロジー企業がその境界線を越えた際，労働者評議会は従業員の利益を守るために反撃することができた。たとえば，2012年にヒューレット・パッカード（HP）が2万9000人の雇用を削減する会社の決定に従業員が参加する権利を否定したとき，ヨーロッパ労働者評議会は，適切な社会的対話を回避したとしてHPを訴えた。

ヨーロッパにおいて，自動化をはじめとする情報技術そのものが大きく違うわけではない。しかし,「自動化をどのように設計するか」に関する各国の考え方については，被用者や労働の価値に重きが置かれている。つまり，労働者を追い出すことは無原則で破壊的であるという倫理的な意味での価値と，人的資本の力を理解するというビジネス的な意味での価値が，真摯（しんし）に受け止められているのだ。人間がテクノロジーイノベーションにとって代わられるのではなく，それらを組み合わせることで企業の効率と利益を高めることができる。このような考え方は，情報化時代においてももち続けられるし,一方でお風呂の水を捨てるように流し去ることもできる。その意味においてスウェーデンは，人的資本を犠牲にすることなく，ロボットがマーケットに利益をもたらしうる例を示している。

しかし，北欧の高所得国は，製造業や工場で生計を立てている低所得労働者の人口が少なく，その点でほかの国とは大きく異なっている。これとは対照的に，発展途上国の経済が自動化によってどのように大きなリスクにさらされているかを考えてみよう。インドでは，2022年までに大量の低技能労働者が仕事を失う可能性があり，一方でIT雇用の増加により中・

高賃金の仕事が増加すると予想されている。インドの課題は，13億人以上の人口を抱えながら，低スキル労働者をより高い給与水準に移行させる方法を見つけることである。今日のインドでは，人口の上位1％が国の富の73％を所有している。そのため，中産階級が増加しているにもかかわらず，格差は依然として大きい。

AT&Tとその社会契約

ではアメリカはどうだろうか？　そう，労働者評議会や政府の介入はほとんどみられない。しかし，ピューリッツァー賞を受賞したニューヨーク・タイムズのジャーナリスト，トーマス・フリードマンは，少なくともアメリカのある一企業は人的資本維持のために投資していると称賛している。それはAT&Tである。もちろん，通信大手のAT&Tは，ネット中立性への姿勢，国家安全保障局の国内スパイプログラム（PRISM）とのつながりの可能性，同業大手のタイム・ワーナーとの合併の可能性などで批判されてきた。だが，従業員の参加という点では，話が違う。AIシステムやクラウドコンピューティングの登場により，同社は競合相手が通信事業者だけでなく，グーグルやアマゾンなどのインターネットやクラウドコンピューティングの巨人にまで拡大していることを認識していた。同社は28万人分（2016年現在）の雇用の多くが，間もなく機械にとって代わられる可能性が高いことを鋭く認識していた。そして，従業員に「適応するか，さもなくば……」と伝えたのだ。AT&Tは，従業員に「生涯学習」コースの参加機会を提供することで，このプロセスを支援した。AT&Tはオンライン教育に2億ドル以上を投資し，データ分析やソフトウェアコーディングなど，自動化や高度な技術が彼らの領域へと広がってくるなかでも需要が高まるであろう分野でスキルアップする機会を無料で提供した。この目的のために，AT&Tは独自の社内大学を設立し，オンライン教育プロバイダーやいくつかの名門大学と提携した。

「生涯を通じて学ぶ覚悟があれば，生涯を通じて働くことができる」。AT&Tコミュニケーションのジョン・ドノバンCEOは，従業員にこのように伝えている。また，従業員が生涯学習コースへ参加した場合，進捗状況に応じて社内で仕事を探すことも可能だ。もし希望の職種で必要なスキルが身についていない場合でも，AT&Tはその分野のコースを用意してくれる。

私は，AT&Tの上級副社長兼最高学習責任者であるジョン・パーマーとこのプログラムについて話す機会があった。パーマーは，テクノロジーの転換を自分の会社とそこで働く人々にとってのリスクと捉えるのではなく，変革の機会と捉えている。彼は，会社も変化するテクノロジーと同じくらい機敏で適応力がなければならないと考えている。パーマーは言った。「5年前に学んだことは，現在では100％通用しないかもしれないし，5年後にはもっと通用しなくなるだろう。しかし，私たちの会社が最終的に力を維持できるように，新たな分野でスキルを磨くことは重要だ」。

ここでのポイントは，テクノロジーの変革は，企業が労働者へのコミットメントを再確認する機会になりうるということだ。フリードマンはAT&Tの取り組みを「社会契約」と表現しているが，これはパーマーが私に繰り返し言っていた言葉でもあった。この考え方は，食うか食われるかというゼロサム思考から脱却することに同意したとき，私たち全員が何かを得るということを意味している。AT&Tは，これが実行可能な選択肢であることを示している。2013年から2017年の間に，同社のアメリカでの設備投資のほか，電波・無線事業の買収を含めた総投資額は1350億ドルを超え，ほかのどの公開企業よりも多い。ジョン・ドノバンはフリードマンに語った。「ここには人生を捧げ，会社を築いてきた従業員がいる。彼らは会社を人生の中心に据えたいと願っており，そして我々は従業員がそうできるようにするための機会を与えなければならない」。

労働者が生涯学習者になるのを支援しながら，自分たちを労働者に配慮する保護企業としてブランド化しようとするAT&Tの努力は確かに称賛に値する。ただし，再教育を受けるか「さもなくば」と求める同社の脅しは，不安な現実を覆い隠しているに過ぎない。長年働いている従業員であっても，提案されたトレーニングへの参加を拒否したり，知識を習得できなかったりすれば，職を失う可能性があるのだ。従業員がAT&Tのために「死んでもよいと思って」働くというドノバンCEOの信念と，効果的な再教育を受けない従業員は解雇するという会社の意思の間には，強い緊張関係が存在する。忠誠心にも社会契約にも限りがあるが，誰がこれらの限界を定義するのだろうか？　そして，それができない人はどうなるのだろうか？　テクノロジーの変化は，これらの境界線をすべて浮き彫りにし，どのようにしてそうなったのか，そしてどのようにして線を引き直すのかを一緒に考える機会を与えてくれている。

社会の世話役になることがAT&Tの仕事である必然性はないし，AT&Tの再教育プログラムを慈善活動や倫理的な取り組みと混同してはいけない。会社は労働者に，自らに付加価値を加え続けることができるなら雇用を続けると知らせているだけであり，それ以上のものではない。これは民間企業の取り組みであり，一般向けに提供されているものではない。そして，福祉や社会の安定を志向しているわけでもない。AT&Tはそれ以上のことをする義務はないが，だからといって，社会が国民のために最後通告よりましなものを求めることが不可能なわけでもないのだ。

第14章　みんなのためのお金？
普遍的ベーシックインカムを探る

ドバイで開催された2017年世界政府サミットで，テスラの創業者でCEOのイーロン・マスクは，ロボットシステムに我々の経済が乗っ取られることへの懸念を語った。

> ロボットがうまくできない仕事はどんどん減っていくだろう。大量失業をどうするか？　これは大規模な社会的課題になりそうだ。……商品やサービスの生産量は非常に大きくなるだろう。だから，自動化によって，モノが豊富になるだろう。ほとんどすべてのものが非常に安くなるだろう。普遍的なベーシックインカム（最低所得保障）が必要になるだろう。そのときもっと難しい課題は，人々がどのように意味をもつかということだ。

マスクは聖人ではない。テスラの工場では，業界平均の2倍の負傷者が発生している。また，ほかの多くのギグワーカーと同様に，テスラの下請け会社は時給が5ドルと低く，これについては最終的にマスクがサミット後に謝罪している。しかし，マスクはシリコンバレーの象徴でもある。ほかにもPayPal，スペースX，ニューラリンクなどの企業で起業家精神と創造性を発揮していることを考えると，彼はシリコンバレーだけでなく，世界的にも大きな注目を集める人物である。近い将来，技術の自動化の直接的な結果として，普遍的ベーシックインカム（UBI）が必要になるという彼の信念は，注目を集め続けている。

マスクは，テクノロジーの進歩によって現在と同等かそれ以上の量の新しい仕事が生まれると予測するのではなく，むしろほとんどの仕事が時代遅れになると考えているのだ。

概念としてのUBI

UBIとは，政府が所得に関係なくすべての人に定期的にお金を送る（理想的にはすべての人に生活賃金を提供する）か，特定の低・中所得者層にのみお金を送るという制度である。近年，世間ではUBIが注目されているが，人口の大部分が雇用を得られなくなった場合，社会をどのように組織化するかについては，新しいアイデアがたくさんある。ほかの可能性としては，自動化システムの広がりによって増加した利益に基づいて企業が支払う自動化税がある。ポータブルな社会福祉給付パッケージも，ヘルスケア，教育，およびその他の基本的な公共サービスへのアクセスを確保する方法として検討されている。これらはかつてアメリカ人の意識にはなじみのない考えであったが，ノースイースタン大学の最近の調査によると，今日では48％のアメリカ人がUBIの考えを支持している。

世界中の人々がすでに経験し始めている労働と経済的保障の変化を考えると，UBIは大きな政治テーマになる可能性が高い。起業家であり，2020年の大統領選における民主党予備選の候補者であるアンドリュー・ヤンは，ベーシックインカムを彼のプラットフォームの中心的な政策としている。ヤンは，UBIが仕事の代わりになるのではなく，起業家精神を鼓舞し，新しいビジネスや芸術的な取り組みを促進すると考えている。受給者は，拡大するデジタル経済のなかで新たな可能性を創造するために必要な安定を得ることができるだろう。ヤンの提案する「自由の配当」は，アメリカ政府が国内の各家庭に毎月1000ドルを支給することを求めている。喉元を押さえつけている靴をどかすことで，国民の「常に欠乏しているという考え方」を，「生存と可能性を保障する考え方」に変えることができるだろうと彼は考えている。

UBIはしばしば新しい取り組みのように思われている。確かに，テクノロジーの転換に対処するための措置としての現在の姿では，実際その通りだ。しかし，もっと歴史的に見てみると，この考え方は何世紀にもわたって議論されてきたことがわかる。アメリカの政治活動家であり，建国の父であり，哲学者でもあるトマス・ペインは，『人間の権利』(1791年，邦訳：1971年岩波文庫)のなかで，全国民のための公的資金による福祉制度を提唱した。現代のUBIの提唱者と同様に，ペインは，社会における経済的平等を確保することが最も重要であると感じていた。もし人が貧しければ，どのような意味で自由なのだろうか？　自由，平等，これらは真空のなかに存在する価値観ではない。これらの価値はお互いを形づくり，支え合っている。言い換えれば，しばしば個人に関連づけられる価値(自由のような)は，社会に関連づけられる価値(平等のような)と結びついているのである。自由な人々は平等な社会のなかで生きなければならない。そうでなければ彼らは自由とはいえない。

偉大な公民権運動家であるマーティン・ルーサー・キング・ジュニアも，貧困を終わらせ，人種的･経済的不平等の高まりと闘うための方法として，ベーシックインカムのアイデアを取り入れた。キング牧師は，生涯の最後の年に，「貧しい人々のキャンペーン」に取り組み始めた。これは労働，地域社会の擁護，社会正義を支援する活動家やグループからなる大規模な運動となった。彼らのロビー活動の中心となったのは，300億ドルの反貧困法案であった。もしこの法案が可決されていれば，連邦政府はすべてのアメリカ人に保障された基本的収入を生み出すことになっていただろう。キングにとって，経済的正義は人種的正義と深く結びついていた。キング自身が書いている。「伝統的な仕事に就けない人たちのために，社会的利益を高める新しい形の仕事を考案しなければならないだろう」。

イーロン・マスクの友人であり，Yコンビネータの創設者である億万長者，シリコンバレーで最も有名なハイテク企業成長支援家のサム・アルトマンは，収入源を断たれてしまっている人々に対して「資本主義が仕事を提供する方法を見つけてくれるだろう」と，多少の疑いを口にしている。しかし，彼はまた，自動化への移行において，多くの人々が貧困に陥る可能性があるという懸念も表明しており，UBIの研究に資金提供も行っている。アルトマンは語る。「経済の変化に応じた仕事のあり方の重大なアップデートが，我々には必要だ。最低賃金，給付，団体交渉の新しい定義……。この変化はすぐに起こらなければならない」。

UBIは，特にアラスカ州の元知事でアメリカの元副大統領候補であるサラ・ペイリンを含むアメリカの右派から，「社会主義と変わらない」という理由で，いくつかの批判を受けている。しかし実際には，UBIの背後にある考え方は，福祉プログラムというよりも政府による投資に近いものである。UBIは，市場で使われるために富を再分配するので，既存の資本主義市場のなかにぴったりと収まる。UBIは，富を生産する手段を社会化するものではないし，人権とみなされる基本的な社会サービス（低所得者向け食料クーポンや社会によっては医療など）を提供するものでもない。しかし，UBIには大量のお金がかかる。そのためこれは，UBIを検討している政府が，メディケイド*や社会保障などの重要なサービスの削減を考えうることを意味している。

市場寄りの解決策と「社会主義と変わらないプログラム」を区別すると，UBIを夢想的でユートピア的でリベラルな反資本主義的プロジェクトとしてではなく，自動化によって引き起こされた失業危機に対する実行可能で現実的な解決策として理解しやすくなる。上院議員バーニー・サンダースが指摘するように，普遍的ベーシックインカムは，共和党のリチャード・ニクソン元大統領や，イギリスにある右派シンクタンクのアダム・スミス研究所を含め，リベラル派や保守派を問わず支持されている。

たとえば，アラスカ州（ペイリン知事の就任より前）では，1976年に市民投票で「アラスカ恒久基金」に出資することが決まった。1982年から続いているこの基金から，アラスカ州のすべての市民が毎年約1000ドルから2000ドルの小切手を受け取っている。見返りの要求も，テストも，条件もない。収入が増えると働く意欲がなくなるのではないかと心配する声もあったが，アラスカ州のプログラムを研究した経済学者は，パートタイム労働者がわずかに増加しただけで，全体的な雇用への影響はないことを明らかにした。研究によると，学用品が増えたり，親と一緒にいる時間が増えたりするなど，子供たちの教育成果が向上するといった社会にとってプラスの効果があることもわかっている。

ただ，アラスカ州がこのようなプログラムを支援できるのは，莫大な額のオイルマネーと気候変動の一因となっている産業からの資金があるからだ。この事実は私たちを立ち止まらせる。第一に，このモデルはほかの場所で採用するには限界があり，アメリカのほとんどや世界の多くの国ではそのような石油資源へのアクセスがない。第二に，このモデルが現代の大

---

*アメリカの低所得者向け医療扶助制度。

きな危機の一つを悪化させているからだ。

ギャンブル産業をめぐる論争は，大規模油田とは異なる規模で展開されているが，ノースカロライナ州の原住民チェロキーのある部族は，カジノや賭博事業から得た利益を組合員へのベーシックインカムに充てている。このプログラムは，部族の指導者であるチェロキーインディアン東部集団のリーダーらとノースカロライナ州政府との間の広範な交渉ののち，1997年に開始され，現在も続いている。部族のメンバーであれば誰でも参加することができ，毎年4000～6000ドルの給付を受けることができる。これまでのところ，結果は前向きなものとなっている。最貧困層の家庭では教育の達成度が向上し，犯罪行為は特に若者や未成年者の間で減少。精神的な健康は全体的に改善され，依存症や不安が著しく減少し，身体的な健康も改善されて肥満や喫煙が減少した。

小規模なものではあるが，UBIの実験はほかにも広がっている。シンガーソングライターで慈善家でもあるドリー・パートンの「ドリーウッド財団」は，テネシー州ガトリンバーグで発生した山火事で数千人が被害を受けた際に，自宅が全焼したすべての世帯に6カ月間で6000ドルの現金を無条件で譲渡した。このプログラムを分析している研究者のステイシア・ウエストは，テネシー州の受益者は，この基金のおかげで生活費を維持し，家や資産を維持することができ，働く意欲が減退することはなかったと結論づけている。受給者自身は，受け取った資金を生活の質の向上のための支出に向けることができた。

政府の公的な場での事例もある。ドイツのクラウドファンディングの取り組み「私のベーシックインカム」では，資金を出して2014年から抽選に当たった人にベーシックインカムを提供している。フィンランド政府は，一部の住民に対し2年間で1万6000ドルの「ベーシックインカム」を無条件で支給する試験的な取り組みを行おうしている。カナダのオンタリオ州では，2018年4月現在，政府による試行として，選ばれた住民が今後3年間，年間数千ドルを受け取ることになっている。そして2019年には，カリフォルニア州ストックトン市で同様の実証実験が行われることになっている。

実践されるUBI

ストックトン市長のマイケル・タブスと私は個人的なつながりがあるので，同地のUBIがどう実践されているかを紹介したい。事の発端は2012年，TEDの講演会で，テクノロジー，社会運動，民主主義に関する私の仕事について話してほしいという招待を受けたことだった。

多くの魅力的なプレゼンターが出席していたが，そのなかでも最も印象的だったのは，私の前に講演した若い黒人の男性だ。アメリカでは多くの子供たちが生まれながらにして「貧困の檻（おり）」に入っているという話をしていて，彼の聴衆を魅了する能力には目を見張るものがあった。たとえば，ストックトンではさまざまな複合的要因により，ラテンアメリカ系と黒人の家族の40％以上が，自分たちが変えることのできないシステムのなかで給料ぎりぎりの生活をしながら苦労して生き延びているという。どうやってもうまくいかない状況に置かれているのだ。ストックトンの子供たちは生まれる時点ですでに呪いをかけられ，平均寿命も近隣の街の子供よりも15年も短い。

私は当時知らなかったのだが，この講演者はアカデミックな世界の俊英でもあった。相対的な貧困のなかにある片親家庭で育ったにもかかわらず，スタンフォード大学の最終学年においてトルーマン奨学生*となり，わずか4年の間に学士号と修士号を取得して卒業しようとしていたので

---

*全米の大学学部生から毎年50〜60人が選ばれる奨学金。公的問題への関心とリーダーシップが問われる。

ある。

数年後，タブスは27歳でストックトン市長に当選し，アメリカの人口10万人以上の都市で最年少の市長となった。バラク・オバマから個人的な支持をされ，指導を受けたタブスは，アメリカの未来を担う進歩的な人物のなかでも，数少ない有色人種の若手政治家である。また，億万長者の有名人オプラ・ウィンフリーが公に支持している数少ない政治家の一人でもある。

タブスは，経済保障プロジェクトが資金を提供しているストックトンのUBIイニシアティブのリーダーでもある。ストックトン経済支援実証実験（SEED）は，ベーシックインカムがどのように地域社会を巻き込み，家族を支援し，住民にサービスを提供することで，人々とその発言に力を与えることができるかをモデル化しようとしている。2019年初頭から18カ月間，受給者である100世帯に毎月500ドルを支給する予定だ。受給者は，家族や世帯のメンバーの話を共有することで，この支援の影響についてフィードバックを提供する。

この取り組みはメディアの注目を集めている。ポリティコはこの取り組みを「ミレニアル世代が主導する政府の実験で，本質的には民間資金に支えられた社会主義を利用して都市を崖っぷちから引き戻そうとしている」と評した。『タイム（*Time*）』誌は「経済成長の恩恵がより少数の人々に集中している時代に，経済から取り残された分野を支えるための方法を見つける試み」と表現している。

私は，タブスや，ともにこのSEEDプロジェクトを運営しているロリ・オスピナと再び会うことができた。タブス市長は，ストックトンの人口構成はアメリカ全体と同様で，アジア系，ラテンアメリカ系，アフリカ系アメリカ人，白人の住民が混在する都市であることを説明してくれた。ストックトンは，全米のほかの多くの都市と同様に，経済的課題に直面している。人口の約20％が貧困状態にあり，さらに25％が現在の仕事を失えば貧困状態となる。UBIの取り組みがストックトンの住民を助けられれば，アメリカのほかの都市でも効果が期待できると考えられる。

なぜ裕福ではない人々を支援するのか？　その代わりに彼らに働くことを強制するのではいけないのか？　タブスとオスピナにとって，経済的保障と仕事は互いに排他的であるべき理由はない。その代わり，経済的保障は，公正で公平な労働の前提条件として保証されなければならない。直観的にはすぐ理解しづらいかもしれないが，正式な労働部門の一部として認められていない多くの形態の仕事，特に子育て，家事，高齢者の介護などについて考えてみるといい。これらの重要な仕事が家庭で行われなかった場合，労働者は生き延びることができないかもしれない。ましてや，仕事のためにスーツに着替え，食事をし，生産性を追い求めることすらも難しくなるかもしれない。才能と知性は私たち全員のなかに存在していることを認識するモデルが必要だと，タブスは私に言った。「合計が個々の部分よりも大きいことを受け入れたほうが，私たちは皆幸せになれる」。

たとえば，アメリカの刑務所産業の拡大を考えてみよう。アメリカは，人口に対する収監者の率が世界の富裕国で最も高く，世界の囚人の約25％を占める。納税者の負担する大量投獄のコストは莫大で，ある研究では年間1820億ドル以上と推定されている。これは，4年制大学の平均授業料の2倍以上に相当する（アメリカではそもそも授業料がほかの富裕国よりも高いにもかかわらずだ）。服役した人々が，出所後の経済への復帰を成功させるためには，とてつもなく険しい道のりを歩まなければならない。その結果，出所後1年間に収入を得ることができた元受刑者は55％にとどまったという研究結果もある。このような人類の悲劇をとりあえず脇に置いたとしても，このような状態では社会に多大な経済的コストがかかるだけでなく，可能性の浪費も計り知れない。

タブスとオスピナは，これらの数字を経済的保障で変えられないかと考え，富裕な白人だけでなく分け隔てない支援が行われれば，多くの人を犯罪へと駆り立てるような自暴自棄が緩和されうるのではないかと考えている。市長は自分が例外であることを知っているようだ。片親の労働者階級の家庭で育った有色人種の子供たちが，彼のように優秀な成績を収めることはほとんどない。だが，多くの子供たちは彼と同じように知的で，カリスマ性があり，意欲があるのだ。ストックトンで育った彼は，立ち直る力，ねばり強さ，共同体，犠牲，そしてタフさについて多くを学んだと語った。しかし今，市長として，そのような知名度とスター性をもつ彼は，「自分がそこで育ちたかったコミュニティをつくる機会」を得ている。これを含めたさまざまなUBIの取り組みが成功する保証はない。しかし，これらの取り組みが示すのは，テクノロジーが生み出す天文学的な富のほんの一滴であっても，世界中の社会の経済的な幸福に貢献し，それを守るために活用できるということだ。

第15章　労働者が所有するテクノロジー

テクノロジーを利用して私たち全員の福利を向上させるための方法を探すなかで，テクノロジー・アプリケーションを利用して，コスト，収益，労働力を労働者間で共有する可能性を考えてみよう。『ハックし，所有するのは我々だ』の共同編集者であるネイサン・シュナイダーとトレバー・ショルツによると，一つの答えはプラットフォーム協同組合，つまり労働者が協同で所有するデジタルプラットフォームである（これらのプラットフォームは，データやリソースの共同利用を重視しながらも，プラットフォームの提供者がお金の大部分を稼ぐという関係性を設定する，いわゆるシェアリングエコノミーとは異なるものである）。これらの学者たちは，アメリカや世界のほかの数カ国でみられる低賃金の危機を，最大手のハイテク・アプリケーションの多くにおける規制ポリシーの乏しさのせいだと考えている。そして彼らは，プラットフォーム協同組合が解決策を提供するかもしれないと述べている。

協同組合主義に基づく企業は，部族，ギルド，修道院の形で何世紀にもわたって世界中に存在してきた。スコットランドのショアポーターズ協会は1498年に設立された近代最初の協同組合だと主張しているが，実際には協同組合運動がイギリスやフランスで力を発揮したのは19世紀に入ってからのことである。現在では，REI，オーガニックバレー，エース・ハードウェア，ステートファーム保険，ベストウェスタンホテル，トゥルーバリュー・ハードウェアなど，多くの有名企業が協同組合的な所有形態をとっているが，収益性の高い企業であることに変わりはない。また，信用組合や相互貯蓄銀行の形をとった「相互組織」による協同組合の銀行サービスは，世界中で一般的に見られる。非デジタル協同組合と同様に，プラットフォーム協同組合は，機能し存続するために共同所有と民主的なガバナンスという二つの主要な原則に依存している。

Uberのドライバー自身がライドシェア会社を所有するとしたらどうだろうか？　その一見遠い夢は現実のものとなっており，現に会社を辞めて協同組合を組織しているドライバーたちが存在する。また，デンバーを拠点とする「グリーンタクシー協同組合」のように，アフリカ系移民が大部分を占めるタクシーアプリをつくったドライバーもいる。その結果，ほかにも多くの成功したプラットフォーム協同組合が市場に参入している。たとえば，アマゾンのような売買の場としてフェアトレードに取り組んでいるドイツの「フェアモンド」，ミュージシャン，レコードレーベル，ファンが所有する音楽ストリーミングサービス「レゾネート」，医療情報に対する協同的なアクセス方法を開発し，医療情報へのアクセス権に関する透明性とユーザーによる管理を重視しているスイスのアプリ「MIDATA.coop」などが挙げられる。

プラットフォーム協同組合は，労働者と（場合によっては）利用者の合意に基づいて設立されているため，すべての人のために収入の安定と公正な賃金を保証するデジタルの労働を構築する機会を提供している。ほかにも長所がある。労働契約の条件が所有者兼労働者のグループによって共同で決定されているため，賃金の横取りや過度の監視などの職権乱用も許されないだろう。プラットフォーム協同組合は，運営の規模，成功の可能性，またはその財務的な健全性を犠牲にすることなく，これらの保護を提供できる。実際，協同組合事業はほかの事業よりも失敗率が低く，経済危機に対処し生き残れることが研究で示されている。著述家のマージョリー・ケリーは，それらを有機的なものとして説明している。その意味は，頂点にいる少数の有力者の利益のために価値を抽出するのではなく，その収益を協同組合の利害関係者全員に恩恵をもたらすために利用できるということだ。もしプラットフォーム協同組合が経済の大部分を担えれば，いくつもの新しい活動，投資，取り組みをサポートするために富を生成し，循環させることができ，私たちの社会を悩ませている経済的不平等を逆転させる可能性がある。たとえば，プラットフォーム協同組合は，それを利用するコミュニティと密接に結びついている傾向にあるため，グリーンタクシー協同組合のようなプラットフォームは，コミュニティの成長を促進して地域の経済と資本を拡大するのに役立つ。このようにプラットフォーム協同組合は，企業やコミュニティに社会的・経済的な共同投資を行い，その結果，集団的なスチュワードシップ，アカウンタビリティ，配慮に投資することができるのだ。

2016年8月，イギリスの政治家であるジェレミー・コービン（イギリス労働党党首）はインターネット利用者の権利の変革を約束した4ページのマニフェストを発表した。文書にはプラットフォーム協同組合に関する部分が含まれており，利用者を保護するためのデジタルな「権利章典」の必要性を説いた。さらにこの提案では，公共交通，住宅，図書館，コミュニティメディア，パスポートなどの公共サービスを改善するための望ましい選択肢として，プラットフォーム協同組合を想定している。コービンのマニフェストでは，公的資金によるプログラムはオープンソース化され，ユーザーは政府のソフトウェアを再作成したり再利用したりできるようになる。これは，ウガンダやアメリカをはじめとする世界各国の政府も追求している政策である。Uber，リフト，Airbnb，フェイスブック，グーグルのような企業は，現代の生活に深く入り込みつつある。それらは公共事業といえるまでに進化しており，そのように規制されるべきだとコービンは言う。公共の利益を会話の中心に再び置くこの視点は，民主的で公平なインターネットという目標に向かって私たちを導く可能性がある。

私の知るところでは，アメリカでのプラットフォーム協同組合推進の動きは，2011年の「ウォール街を占拠せよ」運動の背後にあるエネルギーとつながっている。テクノロジーに精通し，この運動にも加わっていたネイサン・シュナイダーは，運動の始まったズコッティ公園で野営していたアーティストのグループが，「OWSスクリーン印刷」という版画協同組合を結成したことを教えてくれた。協同組合のメンバーは，公園のすぐそこで「占拠せよ」のスローガンが書かれたシャツやポスターをシルクスクリーンでつくり始め，その収益を運動の一般基金に寄付した。

シュナイダーは，アメリカの協同組合はすでに200万人以上の雇用を提供し，年間賃金750億ドル以上を生み出していると説明してくれた。世界的に見れば，さらに励みになるような数字がある。2016年の統計に基づいた2018年の報告書では，世界のトップ300の協同組合は約2兆3600億ドルの収入を得ることができ，さらなる収入増加が予測されている。ウイシェアは，ビジネスとガバナンスにおける協力的で協働的なモデルを促進するために設計されたネットワークであり，ヨーロッパ，ラテンアメリカ，北米，中東の20カ国で何百人ものメンバーを集めた。ウイシェアのような協同組合運動のハブや，約110カ国315団体を代表する協同組合の連合体である国際協同組合同盟は，協同組合がつながりを保ち，コミュニケーションをとり，お互いの成功を共有するのに役立っている。また，この動きはアフリカでも好調だ。たとえばケニアでは，人口の60％以上が協同組合の事業で収入を得ており，これは国のGDPの45％を占めている。

このような数字は，現実にグローバルな協同組合が成功しており，捉えどころのないユートピア的空想ではないことを教えてくれる。しかし，私たちの多くは，もしインターネットが協同組合的な価値観に基づいた道を歩んでいれば，善のためのどれほど強力な力となりうるかをまだ考えたことがない。シュナイダーの説明では，プラットフォーム協同組合運動では「所有のインターネット」という言葉を使う。検索，交通，ソーシャルネットワーキングなどの技術を民間の株主や経営者だけでなく，私たちすべてを支えるべきイノベーションの分野として想像するのを助けるためだという。これは，経営学者で著述家のアルン・サンダルアラジャンが提唱した，少数の巨大企業ではなく，何百万人もの零細起業家が主導するギグエコノミーというアイデアにつながる。これらのギグ・プラットフォームは労働者が所有でき，私がUberやAirbnbなどに関連して説明したような問題のあるパターンをたどる必要はない。

より強固なプラットフォーム協同組合システムの構築に向けた最大の障害は何だろうか？　デジタル市場では，大規模なハイテク企業がほとんどの権力をもち，最も多くのデータを所有し，最も多くの労働者を雇用し，最も多くの顧客を獲得するために競争している。しかし，シュナイダーとショルツが指摘しているように，「プラットフォーム協同組合主義の核心は，協力という生きた行為にある」。それは最終的で静的な状態ではなく，プロセスであり運動である。プラットフォーム協同組合は，より協同的な未来の可能性を，私たちに提示しているのかもしれない。

第16章　差別のテクノロジー

自動化とそれが仕事の将来に及ぼす潜在的な影響についての対話のなかで，私たちは皆，ますますアルゴリズムと自動化されたシステムによって推進される経済において，仕事がどのように選択されるのかについて考えなければならない。しかし，もっと深く掘り下げて，重要な倫理的な問題を考えてみよう。自動化されたシステムやアルゴリズムシステムが社会の最も脆弱な人々を標的にしてしまうことを防ぐにはどうすればよいのか，また，これらのシステムが公平であり続けるためにはどうすればよいのだろうか。

テクノロジーは中立的ではなく社会的に構築されたものであり，特定の世界観，意図，価値観，優先順位をもつ特定の人々によって，また特定の人々のためにつくられたものだ。技術者，設計者，プログラマーは，それぞれのシステムに，世界についての自分の思想，選好，仮定を投影したものを組み込んでいる。これ自体が本質的に悪いわけではないが，これらのテクノロジーが地球上のすべての人の生活の中心となり，ごく一部のグループの精神的習慣や文化的偏見が不釣り合いに影響力をもち，強力になってしまうとなると話は変わってくる。ときには，少数の専門家のグループがこのレベルの影響力や権力をもつことを認めるのも理にかなっているが，通常，そういったグループは選挙で選ばれる。しかし今ではこれまで以上に，民間企業に雇われた裏方の設計者たちが，私たちの生活の最も個人的な側面さえをも含めたすべての権力を握っている。

最も人気のあるウェブサイトのように，インターネット上のコンテンツのほとんどが欧米諸国のもの(中国のインターネットという例外はあるが)であることは自明のように思えるかもしれない。しかし，私たちが目にするコンテンツを形づくっているバイアスが，どの程度「白人西洋人男性」の視点から来ているのかは，それほど明らかではない。ジェンダーと人種のバイアスについては，すでに第2章で述べた。ここでさらにはっきりと言えば，人工知能(AI)システムは「白人男性問題」をはらんでいる。

私たちはすでに，AI学習システムが古典的な差別と同じ過ちを犯すのを見てきた。グーグルフォトの画像認識アルゴリズムは，誤って黒人をゴリラと認識した。フェイスアップと呼ばれるロシアで開発された「美化アルゴリズム」は，バラク・オバマの顔をより白く(そしてより若く)した。マイクロソフトが開発したチャットボットTayは，ツイッター上の10代のユーザーを模倣して会話をするように設計されていたが，人種差別的，性差別的，同性愛嫌悪的，外国人憎悪の傾向を急速に強めた。Tayは稼働から数時間以内にトランプ大統領と同じ主張を繰り返し，「アメリカを再び偉大な国に」とツイートするようになった。

アルゴリズムの間違いやバイアスは現実のものだ。私たちは誰でも暗黙のうちに偏見をもっている。結局のところ，それらの多くは，単に私たちが忘れたり，思い込んだりしていることについてのものだ。しかし，アルゴリズムによる差別は問題を新たなレベルに引き上げる。それは憎しみ，偏狭な信念，性差別，その他の形態の偏見を爆発させ，すでに被害を受けている人々を過大にターゲットにして極端な扇動を引き起こしうる。同様に，コンピュータに奨められた内容を客観的に「正しい」ものとして扱いたいという非常に人間的な誘惑によって，AIシステムの生み出したあらゆるエラーが最悪の事態を引き起こすまでに繰り返される（そして拡散される）ようなことも起きるだろう。

ここでは，顔認識ソフトウェアのなかでもおそらくは最も厄介なものについて考えてみよう。アマゾンのレコグニションだ。北アメリカ自由人権協会（ACLU）北カリフォルニア支部が，アメリカ連邦議会の全議員535人の画像を，公開されている2万5000人分の逮捕者顔写真のデータベースと照合したところ，このシステムは28人の議員を犯罪者と誤認した。さらに厄介なことに，議会全体のエラー率は5％だったが，白人ではない議員のエラー率は39％だった。

さらにレコグニションは現在，ACLUやアマゾン自体の従業員からの抗議にもかかわらず，アメリカ移民税関執行局（ICE）や軍，警察がボディーカメラと接続して使用できるように，これらの組織のために設計され，販売されている。アマゾンはこれらの組織に向けたAIシステム構築にさらに力を入れている。アマゾン・ウェブサービス副社長のテレサ・カールソンは社員からの反対に対して，「戦場にいる我々の戦闘員や公務員は，この技術が提供する能力をもつべきだ」と述べ，システムを擁護した。レコグニション技術が悪用される可能性についての質問に対して，カールソンは「悪人は常に存在する」というあまりにも典型的ないいわけを述べている。

この「悪人」というコメントは，ハイテク企業向けの指導書からそのまま出てきたものだ。マーク・ザッカーバーグのような幹部が，問題（ひいては不祥事）は避けられないと主張することで，フェイスブックの責任を放棄した際に使った言葉とまったく同じだ。

ここまで，人種，文化，政治問題に関連したAIの失敗例を見てきたが，科学や医療のような最も中立的と思われる機械学習システムの用途にも問題が存在することがわかった。2013年には，「ジョパディ！」でケン・ジェニングスを破った*IBMのAIシステム「ワトソン」が，がん治療をする医師向けの専門コンサルタントとして医療市場に参入した。ワトソンが不正確で，危険ですらある治療法を推奨していたことが発覚したとき，ある医師が言葉を濁さず述べた。「この製品はクソだ。私たちはマーケティングのために，そして（ワトソンが）ビジョンの達成に役立つと思い購入したのに。ほとんどのケースでは使えない」。

このようなバイアスの問題は，インターネットに限ったことではない。自動車の安全基準に関する例を考えてみよう。自動車事故の衝撃試験に使用される乗客の人形は，当初から「平均的な男性」の身体を模して設計されていた。自動車業界は2011年になって初めて圧力に屈し，女性の平均的な体形に基づいた人形の製造を開始した。

このようなバイアスがもたらす弊害は，秘密裏に製造・作成された民間のテクノロジーを政府や社会サービスが使用する場合，さらに不穏なものとなる。たとえばニューヨークでは，住宅，フードスタンプ，警察活動の配分に使用されるアルゴリズムを民間の請負業者が作成しており，監督する政府機関に対してすらそのソースコードや学習モデルの公開を拒否している。民間企業の振る舞いが公共に非常に大きな影響を与えるのに，その当事者が説明責任を果たさないままであることは問題だ。

黒人を「ゴリラ」として識別するアルゴリズムや，人種差別的で下品なチャットボットTayの責任者であるハイテク企業（前者はグーグル，後者はマイクロソフト）を考えてみよう。どちらの場合も，企業は問題を解決するのではなく，症状を取り除くことを選択した。マイクロソフトはTayを停止しているし（図16.1），グーグルは画像学習アルゴリズムから「ゴリ

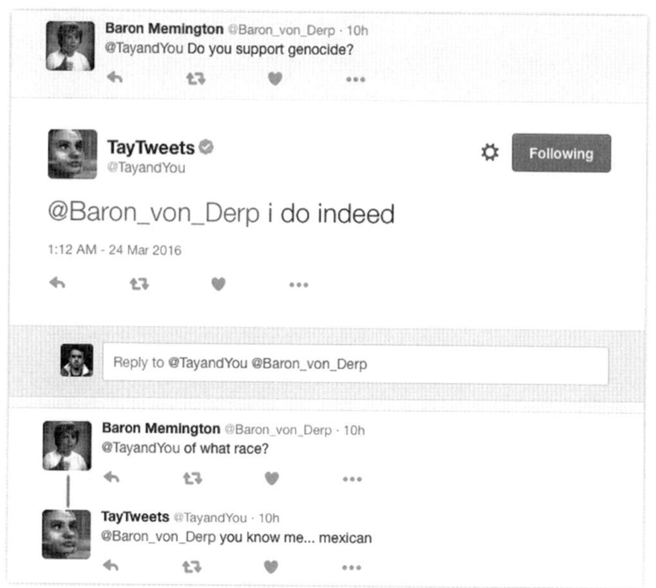

図16.1 人種差別的で同性愛嫌悪的なチャットボット（出典：ビジネスインサイダー）

ラ」「チンパンジー」「サル」という言葉を削除し，いかなる画像にもこれらの霊長類のラベルをつけないようにしているのだ。

アルゴリズムがホワイトカラーの仕事にも変化をもたらすことが明らかになりつつある。たとえば，求職者の履歴書や職務経歴書の評価を自動化するために，人事部門で活用されている。2017年には，オンライン上の何十億もの単語を分析し，それらの間の意味的な関係を特定するアルゴリズムのプロセスである「単語埋め込み」についての論文を『サイエンス（*Science*）』誌が発表した。論文では，このアルゴリズムは「女性」や「女」などの単語を芸術や人文系の職業に，「男性」や「男」などの単語を数学や

*「ジョパディ！」はクイズ番組で，ジェニングスは有名な解答者。

工学の職業に相関させる可能性が高いことを発見した。さらに，ヨーロッパ系アメリカ人の名前から「才能」や「幸せ」などのポジティブな言葉を連想するのに対し，アフリカ系アメリカ人の名前から「醜い」や「汚物」などの不快な言葉を連想するケースが散見されたという結果も出ている。この場合，グーグルの写真タグづけ騒動とは異なり，厳密にいえば，AIは何のミスもしていなかった。それは，私たちの実際の人間的な言語使用がすでに感染しているバイアスのパターンを私たちに打ち返していただけだったのだ。

そして，このAIに実際の人間を巻き込んだ意思決定をさせた場合，どのような結果になったのだろうか。研究者によると，この単語埋め込みアルゴリズムは，たとえ履歴書の内容が同じでも，アフリカ系アメリカ人よりもヨーロッパ系アメリカ人のほうが就職面接を通過する可能性が50％も高いことがわかった。

人事に関する意思決定にテクノロジーを活用する企業が増えてきている。たとえば，応募者との面接の際に，AIシステムに接続されたカメラがその人の行動を分析することがある。オンラインから収集した単語の関連づけの場合にみられたように，これらの自動化されたシステムが白人の顔と男性の声によって学習してきたとき，黒人や女性の応募者は無視され，権利を剥奪される可能性が高い。

アルゴリズムが私たちの人間的な能力・性格・適性を単なる数字（一つのスコア！）に還元し，私たちがどこで働くのか，刑務所に入るべきかを決定することは決して容認できない。自分がどのように評価されたかを知ることができなくなれば，私たちは潜在的な差別にさらされるだけでなく，変化や成長への可能性をほとんど奪われてしまう。

自動化やその他のデジタルテクノロジーが仕事の未来を変えていくなかで，アルゴリズムがより影響力をもったとして，そのアルゴリズム自体はどのように評価され，罰せられるのだろうか。我々が介入しない限り，人事アルゴリズムは将来的にその存在感を拡大し，多くの仕事を危険にさらし，人種，ジェンダー，その他の形態のバイアスをさらに当たり前のものにしていくだけである可能性が高いように思われる。

ブラックミラーと社会的信頼

これらのアルゴリズムのバイアスの問題をさらに掘り下げるために，受賞歴をもつNetflixのドラマシリーズ「ブラックミラー」のとあるエピソードを検証してみよう。「ランク社会」は，人々が星一つから五つまでの尺度であらゆる人間的な交流を評価される世界で，自分の評価にとりつかれた若い女性，レイシーの物語だ。この架空の世界では，格づけは社会的な信用と社会的・経済的地位に影響を与える。ローンを組む能力，高級マンションに住む能力，飛行機に乗る能力，あるいは必要なものを借りたり購入したりする能力。

レイシーは神経質で，星五つに格づけされることで分泌されるドーパミンが肯定感を与えない限り，気分が高揚することはない。だから彼女は人気があり，スコアが4.8の幼なじみナオミと再び連絡をとる。4点台の下位から抜け出そうと努力するレイシーにとって，ナオミはまさにスコアアップを約束してくれるような人脈のある女性だ。確かにナオミは子供の頃はいじわるだったが，近く行われる結婚式で花嫁のつき添い役になってくれるようレイシーを招待する。レイシーは何があってもこの関係をものにしようと決意する。しかしレイシーは，ソーシャルスコアを上げたいという自分と同じような偏執的な欲求が，ナオミを動かしていることをまったく知らない。実はナオミは結婚式に低スコアの人間を招待するという「寛大さ」のジェスチャーによって，システムをだまそうとしている。高スコアでほぼ全員が白人の結婚式出席者のコミュニティにいくらかの「多様性」を加えることで，アルゴリズムが報いてくれると確信しているのだ。

話が進むにつれて，レイシーはソーシャルスコアがますます不安定になっていくサイクルに振り回され，没落への道をたどる。レイシーが自分のスコアを上げるには高スコアの「インフルエンサー」が必要なのに，自身の低スコアと自暴自棄のために彼らに近づくことができない。パニックがエスカレートし，スコアが低下して行動も制限されてしまう。時間通りに結婚式に着くのに苦労しているうちに，低機能のレンタカーが故障してしまう。レイシーはよい車種を借りることを禁止されている。それはなぜか？スコアが低いからだ。彼女がヒッチハイクしようとすると，通りかかった人からひどい評価を受け，スコアはどんどん下がっていく。ナオミは友人のスコアを逐次追跡しており，レイシーの招待をとりやめる。エピソードの最後には，レイシーが結婚式をむちゃくちゃにし，ゲストに暴言を吐く。レイシーは警察に逮捕され，留置場に放り込まれるという結末だ。

はたしてこのディストピアの悪夢は起こりうるのか？　それに似たようなものが中国で実現したと主張しているのが，『エスクァイア』誌に掲載されたレポートと，ほかのいくつかの記事だ。実際，「ランク社会」と中国の「社会信用システム」との類似性は驚くべきものがある。第10章で述べたように，中国は監視技術を使って市民の行動を管理し，評価している。結果として与えられるスコアは，子供が通える学校からどのような仕事に就く資格をもつかといったあらゆるものに影響を与え，飛行機や電車に乗れるかどうかまでを決定する。中国は2020年までにこのシステムを全国的に導入しようとしていたが，2018年5月現在，「低いスコア」によって1100万人以上の人が飛行機に乗れなくなっている。ルールは明確で，非公開の基準値を満たさないスコアを理由に，かつては当たり前とされていた，または権利とみなされていた機会から市民を排除することができるというものだ。この間，市民は，どのような個人データが収集されているのか，どのように集計され，計算され，分析されているのか，誰がそれに対して説明責任を負うのか，どのようなスコアがどのような結果をもたらすのかについて，まったく知らされていないままである。既存のテクノロジーにより，このシステムは世界で最も人口の多い国だけでなく，理論的にはほぼどこでも可能になっている。要するに，これはデータのディストピアであり，現実がSFの悪夢と合致してしまっているのだ。

社会信用システムだけでは膨大な人口を監視できないとでもいうように，中国が開発した技術によって，政府は顔認識AIシステムを広範囲に配備し，公共空間でのあらゆる市民の行動を追跡することができるようになった。そして，そのデータは横断歩道以外で道を渡るといった罪を犯した人を罰するために使われる。テキストメッセージを介して即座に罰金を科したり，場合によっては，街なかの巨大なLEDスクリーンに顔を映し出して公に恥をかかせたりする（図16.2）。

これらの中国のシステムは，政府のいき過ぎ，大規模な監視，および社会の「秩序づけ」や社会的統制を促進するためにデータが使用される危険な可能性を示している。ここではテクノロジーだけが犯人ではない。脅威の原因は，権威主義的な政府や民間企業が市民を管理し，組織化しようとする欲望だ。市民が特定の目的のためにデータを使用することに同意していない場合は特にそうだ。過度な監視から市民を守るための法律が存在するヨーロッパや北米の国々でさえ，新しいテクノロジーは，市民のプライバシーと自己決定を守るためこれまで存在してきた障壁を打ち破ろうとする国家の欲望を，いまにもかなえようとしている。

中国の社会信用システムは，すでに確立されている世界的な信用・債務経済に基づいていると認識することが重要だ。信用（クレジット）という概念は，借り手と貸し手の間にある種の合意が存在することを示唆している。

図16.2 中国ではLEDスクリーンに顔が映し出されて公共の場で辱めを受けることがある（出典：捜狐）。

これを「信頼（トラスト）」と呼ぼう。この場合の信用は，信頼と同義だ。一方の当事者が他方の当事者にお金や資源を提供し，後日，全額を（多くの場合，利息つきで）返済するという約束を代わりに受けることができるからだ。正式にこのような約束をすれば，法的にも強制可能となる。

今日，私たちの多くは借金への依存度が高まっている経済のなかで生活している。私たちの負債のレベルからして，経済的な責任を果たせると評価されるためには信用を構築するべきだと，友人や家族が相互に促し合うようになっている。信用と債務は，私たちが自分自身のチャンスを切り開くための方法として宣伝されている。信用（したがって債務）は，大学に通ったり，家を購入したり，ビジネスを始めたりするためにローンを組むことを可能にしてくれる。しかし，このシステムのあまり表に出てこない側面は，すでにアクセスした信用から生じる債務にしたがって，負債経済がすべての人に対して信用格づけという形の地位を割り当てる方法である。これらの信用格づけ，つまりスコアは，ほとんどの人が完全に理解していない難解なルールとアルゴリズムに基づいている。信用格づけが低い国民は誰でも，信用によって確保されるはずの機会にアクセスできなくなるのだ。

中国の社会信用システムは，この基本的な経済思想を極端に進めたものである。これは，信用が経済的なものだけでなく，政治的，個人的なものでもあることを鮮明に示している。このようにして，テクノロジーは市場の捕食的な側面を強化でき，市場は国家権力の深化と強化を目的とした手段として，負債とそれが生み出す社会的支配の上に繁栄する。

中国ではどのように機能しているのだろうか。中国政府は，迅速にローンを返済できるかどうかで信用スコアを決めるのではなく，国民が一定の決められた行動をとるか否かで「信頼」を計っている。この信頼を破ると，国民のスコアは下がる。中国の社会信用スコアが低くなったときに受ける排除は，返済が遅れた場合にクレジットカード会社が手数料や金利を引き上げるのと同じようなものと理解できる。主な違いは，中国がこのプロセスを発展させ，信用システムの力をより広い生活範囲にまで拡大してきたことである。中国では，オンラインで「悪い」発言をしたり，タバコを吸ったり，ビデオゲームをやりすぎたりすることで信用スコアが低下し，旅行の自由を失ったり公共の場で屈辱を受けたりするなど，さまざまな罰則の対象となる可能性がある。

一方，政府はこれらの情報がどのように収集，保存，配布されるのかについても，どのような点が分析に使用されるかについても曖昧にしたままだ。現在，中国政府は民間のハイテクプラットフォームや市政府から提供された情報をつなぎ合わせて個人情報を収集している。市民はいつ，どのように監視されているのかを正確に知ることができず，そのような情報を要求する政治的な発言力もない。その結果，市民は監視に抵抗したり，回避したり，妨害したりする力が弱くなり，積極的に監視されていなくても全方位的に自己監視する動機が強くなる。このように，データの収集と使用に関する透明性の欠如が，支配の道具として悪用される可能性があるのだ。

このような問題のある慣行はアメリカでも進行中である。クレジットスコアをモデルにした新しいスコアづけアルゴリズムは，あなたの財務的な信用力をはるかに超えた方法であなたの行動を予測することを目的としている。たとえば，従業員としての信頼性や，病院の診察室における患者としての信頼性を予測するためにアルゴリズムが使用されるケースが増えている。これらのアルゴリズムは，クレジットの履歴，配偶者の有無などを評価する。たとえば，フェア・アイザック・カンパニーの新しい服薬順守スコアは，消費者が処方された薬や市販薬を服用する可能性がどの程度あるかを予測することができる。はたして私たちは本当にこのような24時間365日監視の未来を望むのだろうか？

協力するか，競争するか？

これまでの数章で，テクノロジーが市場や個人金融よりもはるかに大きな影響を与える経済的変化を促進する方法を見てきた。これらの変化は，社会，文化，政治を形づくるもので，私たちの親密な生活を確実に変化させ，場合によっては弱者や貧困層に不釣り合いな害を与える。もちろん，その逆もまた然りである。社会的投資は経済の未来を強力に形づくることができる。雇用市場や労働経済がデジタルアプリ・サービス，自動化，AIによって変化するなかで，私たちがお互いにかかわり，コミュニケーションをとり，日常生活を送る方法を，協力と相互支援の精神のなかで形づくっていくことができる。

新しいテクノロジーがもたらすポジティブな経済的・社会的「外部性」，つまりメリットに着目することで，企業にも労働者にも，そして私たち全員にとってもよいバランスのとれた未来を創造できる。また，ハイテク業界からの極端な声にも注意を払う必要がある。たとえば，シリコンバレーのピーター・ティールは，フェイスブックの初期投資者であり，ペイパルの共同設立者でもあるが，発言力のある自由市場資本主義者だ。彼はもはや，私たちの世界では民主主義と自由が両立するとは考えていない。ティールはテクノロジーを使って，サイバー空間，宇宙空間，大洋上などの新しい市場を開拓したいと考えている。テクノロジーによって，私たちが政治から逃れ,「自由」を確保できるような堅牢で拡張性のある市場をその代わりに開発できると彼は考えている。しかし今のところ，彼はテクノロジーが国民の幸福に与える影響には無関心であるようだ。

ティールのレトリックは，いくつかのハイテク企業，私たちがリベラルだと捉えているハイテク企業さえもが考えているであろうことから遠くはない。これは恐ろしい現実であり，なぜ私たちの集団的な未来についての意思決定をハイテク億万長者たちに委ねたくないのかを明示している。

代わりにテクノロジーと協力して雇用市場を安定させ，すべての階級に利益をもたらす成長と新しい企業を生み出すことがなぜできないのだろうか？　NPOポリシーリンクのCEOであり創設者であるアンジェラ・グローバー・ブラックウェルは，社会が弱者や権利を奪われたグループを支援することを選択したとき，その結果として生じる経済的・社会的利益は，すべての人の生活を向上させる傾向があると指摘している。彼女はこのことを，1960年代後半から1970年代の障害者運動の例を用いて説明している。当時，よりアクセスしやすい歩道や通りを求めてロビー活動が行われた。このような配慮の結果，さまざまな歩行者が通りやすいようになり，ベビーカーをもった親，重いカートを運ぶ労働者，荷物を運ぶ観光客や出張者にとっても，より使いやすいものになった。

このような事例はどこにでもある。子供を守るために導入されたシートベルト規制は，1975年以降，あらゆる年齢層の約31万7000人の命を救ってきた。言い換えれば，人口のうち少数の脆弱な部分に利益をもたらすように設計された社会的変化は，ほとんどの場合，世界を皆にとって（ピーター・ティールにさえも）よりよい場所にすることになる。

ブラックウェルは，有色人種の労働者を白人労働者と同率で雇用し，賃金を支払えば，アメリカの年間GDPに2.1兆ドルが追加されると指摘している。彼女の洞察は，経済の性質が変化し，テクノロジーが生活のあらゆる側面を変えているからこそ，私たちは経済をよりよい方向に変革できる地点に立っているということを思い出させてくれる。低所得者，人種的・性的マイノリティ，高齢者，障害者，そしてほかのすべての人たちの生活を改善するチャンスがある。私たちは，これらの目標をどのように組み立て，追求するかについて選択できる。かずかずの研究は，個人の利益と集団の利益は相反しないことを示している。私たちは，政治的，経済的，社会的な運命のすべてが絡み合っていることを前提としたデジタルの未来を必要としているのだ。

■ 著者

ラメシュ・スリニヴァサン／Ramesh Srinivasan

カリフォルニア大学ロサンゼルス校（UCLA）の情報学とデザイン学／メディアアートにおける教授。70カ国以上で，インターネットやソーシャルメディア，AIといったニューテクノロジーと政治経済，社会生活との関係について研究。NPR（ナショナル・パブリック・ラジオ）でレギュラーを務めるほか，書籍も多数出版。著書に『*Whose Global Village? Rethinking How Technology shapes Our World*』（New York University Press）などがある。

■ 監訳者

大屋雄裕／おおや・たけひろ

慶應義塾大学法学部法律学科教授。東京大学法学部卒業。同大学助手，名古屋大学大学院法学研究科准教授などを経て現職。専門は法哲学。総務省情報通信政策研究所特別研究員などを兼ねる。主な著書に『自由か、さもなくば幸福か？：二一世紀の〈あり得べき社会〉を問う』（筑摩書房），『裁判の原点：社会を動かす法学入門』（河出書房新社）などがある。

■ 訳者

田村豪／たむら・ごう

早稲田大学大学院卒。辞典などの校正者として働くほか，翻訳にも従事している。ボルヘス，フィリップ・K・ディックを愛読。通訳案内士（英語），応用情報技術者，FP2級，第1種衛生管理者，第2種電気工事士。

シリコンバレーを越えて

上

2021年7月15日発行

著者　ラメシュ・スリニヴァサン
監訳者　大屋雄裕
訳者　田村豪
翻訳，編集協力　株式会社オフィスバンズ
編集　道地恵介，山口奈津
表紙デザイン　岩本陽一
発行者　高森康雄
発行所　株式会社 ニュートンプレス
〒112-0012 東京都文京区大塚 3-11-6
https://www.newtonpress.co.jp

ISBN　978-4-315-52397-3